JN312689

《データ本位》でる順仏検単語集対応　仏検3級・準2級・2級レベル

フランス語単語の力を本当につけられるのはコレだ！［応用編］

早川文敏・小幡谷友二・久松健一

駿河台出版社

イラスト：はしあさこ
カバー・表紙デザイン：平松花梨

一風変わった，強気のタイトルに"?"となっておいでの方々へ

『〈改訂版〉でる順仏検単語集』が世に出たのは1998年，それを元にコンピュータを利用し，発展形の『《データ本位》でる順仏検単語集』を上梓したのが2006年の初夏．この間，かれこれ10年近い時が流れました．

　本書は，これまでの自身の執筆の経験を踏まえ，

『データ本位』の利点を最大限引き出し

単語を効率的に覚え，活かす．その点に照準を定めた新発想による

「単語帳」＋「問題集（解説付）」＋「聞く耳を育てるＣＤ付」

であります．
　フランス語の力を**本気で養成したい！**と熱く願っておいでの「あなた」に向けた一冊というわけ．
　表層的に単語をとらえるのではなく，仏検をひとつの指標としながら，みずからメッセージを発信し，発展・応用させるのに必須の〈すきのない単語力〉をしっかり身につける．そのためにはどうしたらいいのか．

その答えをここに用意しました．

詳しくは"次ページ"に……

単語にはそれぞれ癖があります．たとえば，

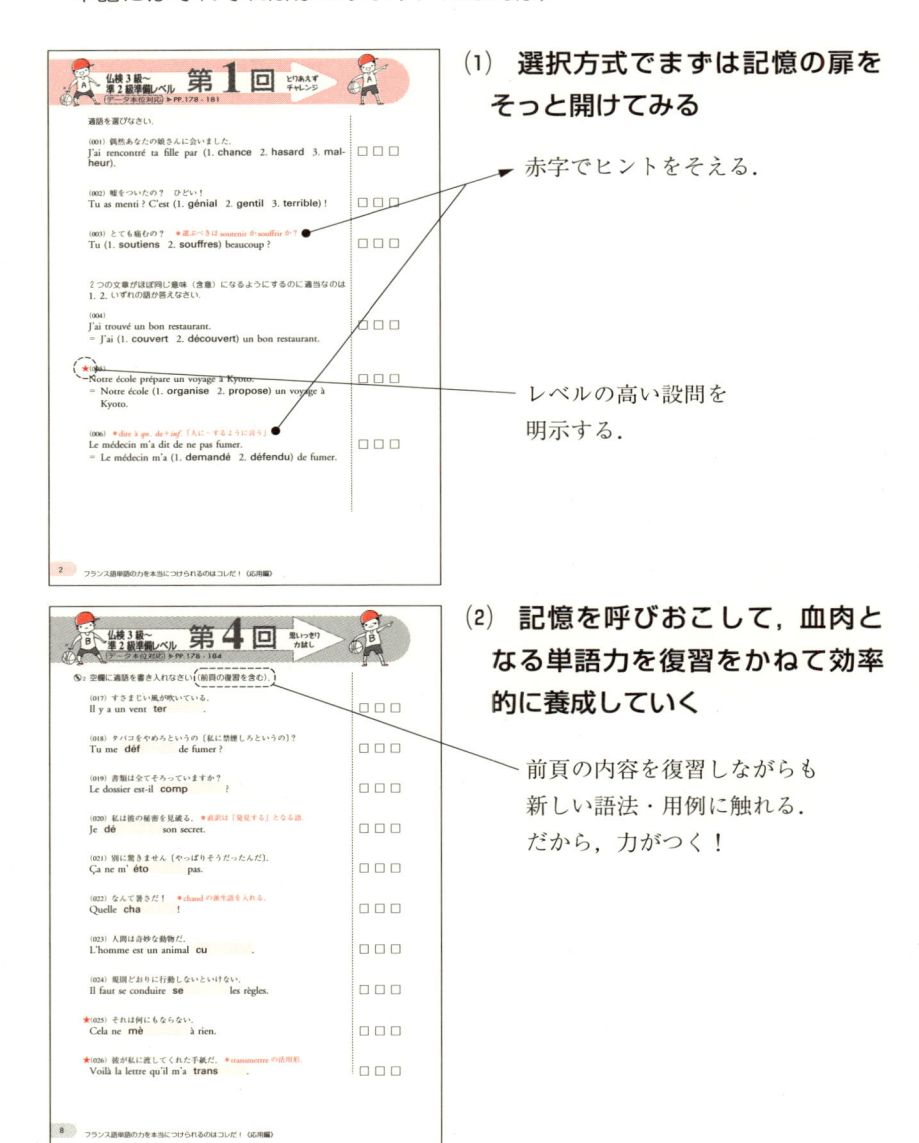

(1) 選択方式でまずは記憶の扉をそっと開けてみる

赤字でヒントをそえる．

レベルの高い設問を明示する．

(2) 記憶を呼びおこして，血肉となる単語力を復習をかねて効率的に養成していく

前頁の内容を復習しながらも新しい語法・用例に触れる．だから，力がつく！

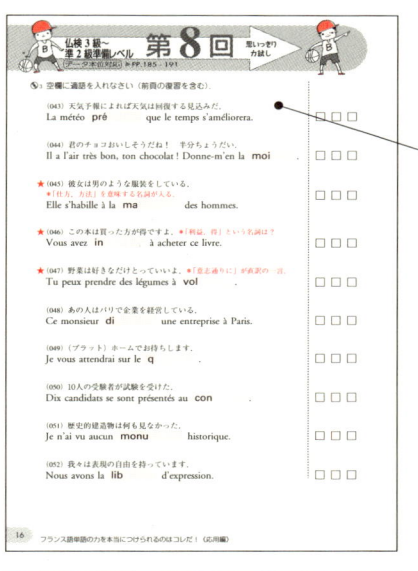

(3) 耳で記憶を再確認！ ディクテに使える自在なCD対応ページをご用意！

CDにはフランス語がナチュラルスピードとディクテ用のゆっくりの両方が用意されている．

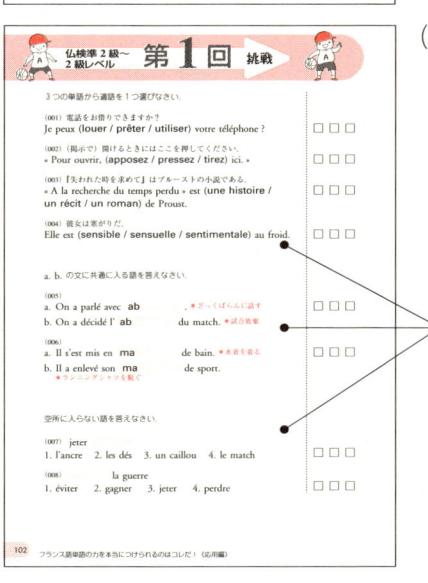

(4) 2級レベルの単語は多様な練習問題形式で，ずんずん増殖．解説ページでは3・4級レベルの語彙（基本語）を明示することで復習機能も同時にはたす！

多様な問題形式で
漏れのない単語力を育てる！

などなど，タイプはさまざま．その多様さを「あなた」に提示し，目を凝らしていただき，手を使い，耳を傾け，ときには脳から汗をかいてもらう．そこから，**真の「単語力」の拡充**をめざす．

　最初は，難しい!!!　と感じるかもしれません．なかなか正答にいたらずいらいらすることもあるでしょう．でも，壁にぶつかりながら，単語の道をずんずんと奥まで歩んでゆくと，やがて視野がひらけ，あたりの風景に目をやる余裕もでてきます．そんなゆとりは必ずおとずれると信じ，仏検の級の設定を超えた，歯ごたえのある設問も一部ご用意しました．

　1度ではなく，2度．いや，3度，4度と仏単語と向かい合ってみてください．繰り返すうちに，いつの間にか，二の腕の筋力さながら**筋金入りのすきのない「単語力」**が身についたと，はっきり実感なさるはずですから．

　　　　　　　　　　　　　最強の共著者2人をさしおいて　　久松健一

＊縁の下の力持ち，編集の山田仁さんにお世話になりました．あれこれ感謝です．

目次・自己チェック表

＊空欄には学習した日付を入れてもよし，得点を入れてもよし，自分の学習進度を確認しよう＊

【仏検3級→仏検準2級準備レベル】（p.1）

仏検3級 仏検2級 準備 レベル		第1回 第2回 第3回		
	第1回			
	第2回			
	第3回			
	第4回			🌐2
	第5回			
	第6回			
	第7回			
	第8回			🌐3
	第9回			
	第10回			
	第11回			
	第12回			🌐4
	第13回			
	第14回			
	第15回			
	第16回			🌐5
	第17回			
	第18回			
	第19回			
	第20回			🌐6
	第21回			
	第22回			
	第23回			
	第24回			🌐7

【仏検準2級レベル】（p.51）

仏検準2級 レベル		第1回 第2回 第3回		
	第1回			
	第2回			
	第3回			
	第4回			🌐8
	第5回			
	第6回			
	第7回			
	第8回			🌐9
	第9回			
	第10回			

仏検準2級 レベル		第1回 第2回 第3回		
	第11回			
	第12回			🌐10
	第13回			
	第14回			
	第15回			
	第16回			🌐11
	第17回			
	第18回			
	第19回			
	第20回			🌐12
	第21回			
	第22回			
	第23回			
	第24回			🌐13

【仏検準2級→仏検2級レベル】（p.101）

仏検準2級 仏検2級 レベル		第1回 第2回 第3回		
	第1回			
	第2回			🌐14
	第3回			
	第4回			🌐15
	第5回			
	第6回			🌐16
	第7回			
	第8回			🌐17
	第9回			
	第10回			🌐18
	第11回			
	第12回			🌐19
	第13回			
	第14回			🌐20
	第15回			
	第16回			🌐21
	第17回			
	第18回			🌐22
	第19回			
	第20回			🌐23

さぁ
はじめよう!!

仏検 3 級レベル
→仏検準 2 級準備レベル

（全24回，試練の158問）

　このレベルでは語彙数を徹底的に増強していく．〈とりあえずチャレンジ！→おまけのチャレンジ！→力試し！〉と，段階的に語彙力をつけながら，レベルアップしていく．
　ＣＤには「思いっきり力試し」の部分を収録．ノーマルスピード→ゆっくりスピードの順で録音されているので，ノーマルスピードで"聞く力"を確認，ゆっくりスピードで"書きとり"に挑戦！〈聞く＋書く〉力も育てよう．

《表記の説明》
qn.（quelqu'un の略で「人」「動物」を示す）
qch.（quelque chose の略で「物」「無生物」であることを示す）
inf.（不定詞を表す．動詞の原形のこと）
【やや難】【難問】（問題のなかでも難しい出題を示す）
★（設問のなかでも歯ごたえのあるものを示す）

　なお，本書と連動する『《データ本位》でる順仏検単語集』に載っていない単語はイタリック（例：*un chemisier*）で示した．

仏検3級〜準2級準備レベル　第1回　とりあえずチャレンジ

データ本位対応　▶ PP.178 - 181

適語を選びなさい．

(001) 偶然あなたの娘さんに会いました．
J'ai rencontré ta fille par (1. **chance**　2. **hasard**　3. **malheur**).

(002) 嘘をついたの？　ひどい！
Tu as menti ? C'est (1. **génial**　2. **gentil**　3. **terrible**) !

(003) とても痛むの？　＊選ぶべきは soutenir か souffrir か？
Tu (1. **soutiens**　2. **souffres**) beaucoup ?

2つの文章がほぼ同じ意味（含意）になるようにするのに適当なのは 1. 2. いずれの語か答えなさい．

(004)
J'ai trouvé un bon restaurant.
= J'ai (1. **couvert**　2. **découvert**) un bon restaurant.

★(005)
Notre école prépare un voyage à Kyoto.
= Notre école (1. **organise**　2. **propose**) un voyage à Kyoto.

(006) ＊dire à *qn.* de＋*inf.*「人に〜するように言う」
Le médecin m'a dit de ne pas fumer.
= Le médecin m'a (1. **demandé**　2. **défendu**) de fumer.

フランス語単語の力を本当につけられるのはコレだ！《応用編》

(001) J'ai rencontré ta fille par hasard.
　▶正解は 2. hasard「偶然」. par hasard という形で「偶然に」という決まり文句になる. par chance は「幸運にも, 運良く」(= par bonheur, heureusement), par malheur はその反対で「不幸にも」(= malheureusement) という語.

(002) Tu as menti ? C'est terrible !
　▶「(程度が)ひどい, 恐ろしい」という意味の 3. terrible が入る. C'est terrible ! で「それはひどい」の意味. C'est terrible de *inf.* とすると「〜するとはひどい, 困ったことだ」という成句になる. 選択肢の *génial(ale)* は「天才的な, (会話で) 見事な (例：C'est génial ! は会話で「すごい！」「お見事！」の意味)」, gentil(le)は英語の *kind*, *nice* に相当する形容詞.

(003) Tu souffres beaucoup ?
　▶正解は 2 で不定法は souffrir「痛む, 苦しむ」という動詞.「調子が悪い」avoir mal (反対語：aller bien) は類義語. 英語の *suffer from* に対応するのが souffrir de *qch*.「〜で苦しむ」の展開 (例：souffrir du froid「寒さに苦しむ」). 現在形の活用は意外に難しいし, 過去分詞 souffert を間違える人が少なくない. なお, 1. soutenir は「支える」あるいは「主張する」という意味.

(004) J'ai découvert un bon restaurant.
　▶例文は「いいレストランを見つけました」という意味. したがって 2「発見する」découvrir が正解. 1 の *couvrir*「覆う」は反対語. "dé-(「反対」の意味を表す)+couvrir(「覆う」)" なので,「覆いを取る」というのがそもそもの意味である.

(005) Notre école organise un voyage à Kyoto.
　▶préparer は「準備する」. したがって例文は「うちの学校は京都への旅行を準備している」と訳せる. 正解は 1.不定法は organiser で「準備する, 企画準備する, 組織する」という意味. organiser un voyage「旅行の (企画) 準備をする」. 名詞は *un organisme*「組織, 機関」という言葉. 選択肢 2 は proposer「提案する」.

(006) Le médecin m'a défendu de fumer.
　▶「医者にタバコを吸わないよう言われた」=「タバコを吸うのを医者が私に禁じた」とする. 正解は 2,「禁止する, 守る」という意味の défendre の複合過去形. 左の文が dire de ne pas *inf.*「〜しないように言う」なので, これを選ぶ. Je défends mon *honneur.*「私の名誉を守る」のように,「守る」という意味も重要. demander は「頼む, 求める, 要求する」の意味で文意にあわない.

第2回 とりあえずチャレンジ

仏検3級〜準2級準備レベル
データ本位対応 ▶ PP.181 - 184

適語を選びなさい．

(007) 彼女は商社で働いている．
Elle travaille dans (1. une campagne 2. une société) commerciale.

(008)【諺】すべての道はローマに通ず．
Tous les chemins (1. mènent 2. promènent) à Rome.

(009) すみません，マチルドはいません．彼女に伝言をお伝えしましょうか？
Désolé, Mathilde n'est pas là. Je lui (1. jette 2. transmets) votre message ?

(010) 遠くに旅行するので，私は車にガソリンを入れた．
Comme je voyage loin, j'ai mis (1. de l'essence 2. de l'huile 3. du gaz) dans ma voiture.

2つの文章がほぼ同じ意味（含意）になるようにするのに適当なのは 1. 2. いずれの語か答えなさい．

(011) *un événement étonnant で「驚くべき出来事」
J'ai vu un événement étonnant.
= J'ai vu un événement (1. extraordinaire 2. habituel).

(012) *faire attention「注意する」
Ce n'est pas grave, pourtant tu dois faire attention.
= Ce n'est pas grave, (1. c'est pourquoi 2. toutefois) tu dois faire attention.

(007) Elle travaille dans une société commerciale.
> 2 が入る．正解の société は「社会」ならびに「会社」という意味を持つ．「会社」の意味では une entreprise, une compagnie と類義．選択肢 1 の une campagne は「田舎」(反対語：une ville「都会」) という語．

(008) Tous les chemins mènent à Rome.
> 答えは 1 で，mener は「(人が) 連れていく」，「(道などが人を) 到達させる」の意味．問題文は後者の用例．選択肢 2 の promener「散歩させる」は代名動詞 se promener で「散歩する」となる．この諺は Tous les chemins conduisent à Rome. とも表現できる．「目的を達成する方法はいろいろだ」という含意で用いられる．

(009) Désolé, Mathilde n'est pas là. Je lui transmets votre message ?
> 伝言などを「伝える」という意味の 2. transmettre が正解．1. jeter は「投げる」(英語の *throw*) なので不適切．être là は「在宅している」の意味．例文は電話でよく使う表現だ．

(010) Comme je voyage loin, j'ai mis de l'essence dans ma voiture.
> 「ガソリン」は 1 である．de l'essence は，本来「本質，エキス」(例：l'essence de l'homme「人間の本質」) という意味だが，原油から抽出した「エキス」＝「ガソリン」の意味になる．de l'huile は「油」(ただし，mettre de l'huile で「エンジンにオイルを入れる」という表現にもなる)，du gaz は「気体，ガス」の意味．

(011) J'ai vu un événement extraordinaire.
> 「驚くべき出来事を見た」＝「とんでもない出来事を見た」と考えて，正解は 1 の extraordinaire になる．"extra-(外れた，越えた)+ordinaire (並の)" という構成の形容詞で「並はずれた」という意味になる．副詞は extraordinairement「非常に，並はずれて」の意味．もう一方の選択肢 habituel(le) は「習慣的な，いつもの」という意味の形容詞．

(012) Ce n'est pas grave, toutefois tu dois faire attention.
> 「大したことないよ，とはいえ気をつけないといけない」という意味．正解は 2. toutefois．逆接の接続詞だが，mais よりも固い単語．1 の c'est pourquoi は「だから，それゆえ」という順接の表現として用いられる．

Très bien !

仏検3級〜準2級準備レベル 第3回 おまけのチャレンジ

データ本位対応 ▶ PP.178 - 184

2つの文章がおおむね反対の意味になるようにするのに適当なのは 1. 2. いずれの語か答えなさい.

(013) ＊「15時の列車には席が空いている」↔「満員だ」とする.
Dans le train de 15 heures, il y a de la place.
↔ Le train de 15 heures, c'est (1. **complet** 2. **réservé**).

(014)
Cet enfant avait les mains propres.
↔ Cet enfant avait les mains (1. **sales** 2. **sèches**).

(015) ＊le froid の対語は le chaud でも可.
Je n'aime pas le froid.
↔ Je n'aime pas (1. **la chaleur** 2. **le chauffeur**).

2つの文章がほぼ同じ意味（含意）になるようにするのに適当なのは 1. 2. いずれの語か答えなさい.

★(016) ＊d'après moi「私としては」
D'après moi, elle se trompe complètement.
= (1. **A propos de** 2. **Selon**) moi, elle se trompe complètement.

(013) Le train de 15 heures, c'est **complet**.
　▶ A, c'est...という形で「Aは～である」となるフランス語の典型的な文の展開（例：Le temps, c'est de l'argent.「時は金なり」）. 例文は「午後3時の電車は席が空いている（il y a des places libres. とも言える）」↔「満員だ」となる.「完全な, 満員の」という1. complet(ète) を選ぶ. 選択肢2. の réservé(e) は「予約された」の意味.

(014) Cet enfant avait les mains **sales**.
　▶「その子は手が清潔だった」↔「手が汚なかった」としたい. propre「清潔な」の反対語として, 1. sale「汚れた」を選ぶ. 英語の *hall*, *room* に相当する une salle と発音は同じ. 2の sèches は「渇いた」を意味する sec の女性複数形.

(015) Je n'aime pas la **chaleur**.
　▶「寒いのは嫌い」↔「暑いのは嫌い」. 1. la chaleur は「暑さ, 熱さ」という名詞. avoir chaud「暑い」で使われるときの chaud は男性名詞. 問題の文章は Je n'aime pas le chaud. とも言い換えられる. 2の chauffeur は「（バスやタクシーなどのプロの）運転手」を意味する語. なお, 一般の「（自家用車の）ドライバー」は automobiliste と呼ばれる.

(016) **Selon** moi, elle se trompe complètement.
　▶「私としては, 彼女は完全に間違っていると思う」という文にしたい. 答えは 2 を選ぶ. selon moi は「私に言わせれば」あるいは「私の考えでは（= à mon avis または d'après moi）と考えるとよい. 選択肢の1の *à propos de qn. / qch.* は「～について, ～に関して」を意味する前置詞句.

ここまで進まれて, すでに問題が難しいと感じておいでなら姉妹編『《データ本位》でる順仏検単語集』を座右に置かれてみては？ 暗記の効率がさらに良くなり問題が簡単に思えてくるはず！ なお, 本書は"単語"に重点をおいているので文章は実際の仏検より少々歯ごたえを感じるはず！ そして, それが本番の試験で大きな力を呼びこむはず！

第4回 思いっきり力試し

仏検3級〜準2級準備レベル
データ本位対応 ▶ PP.178 - 184

②2 空欄に適語を書き入れなさい（前頁の復習を含む）.

(017) すさまじい風が吹いている．
Il y a un vent **ter**_____ .

(018) タバコをやめろというの〔私に禁煙しろというの〕?
Tu me **déf**_____ de fumer ?

(019) 書類は全てそろっていますか？
Le dossier est-il **comp**_____ ?

(020) 私は彼の秘密を見破る． ＊直訳は「発見する」となる語．
Je **dé**_____ son secret.

(021) 別に驚きません〔やっぱりそうだったんだ〕．
Ça ne m' **éto**_____ pas.

(022) なんて暑さだ！ ＊chaudの派生語を入れる．
Quelle **cha**_____ !

(023) 人間は奇妙な動物だ．
L'homme est un animal **cu**_____ .

(024) 規則どおりに行動しないといけない．
Il faut se conduire **se**_____ les règles.

★(025) それは何にもならない．
Cela ne **mè**_____ à rien.

★(026) 彼が私に渡してくれた手紙だ． ＊transmettreの活用形．
Voilà la lettre qu'il m'a **trans**_____ .

(017) Il y a un vent terrible.　◯正解は terrible で「ひどい」のほかに，「恐ろしい」や「すさまじい」という意味を持つ．

(018) Tu me défends de fumer ?　◯défendre の直説法現在の活用 je défends, tu défends, il défend, nous défendons, vous défendez, ils défendent に注意したい．

(019) Le dossier est-il complet ?　◯complet のように -et で終わる形容詞は，女性形の語尾が -ète になる点にも注意．この例は「完全な，全部そろった」という意味．le dossier は「書類，ファイル」のこと．

(020) Je découvre son secret.　◯「～を発見する，見つけだす」découvrir の活用，現在形は je découvre, tu découvres, il découvre, nous découvrons, vous découvrez, ils découvrent となる（活用は ouvrir に準ずる）．

(021) Ça ne m'étonne pas.　◯正解は étonne「(人を) 驚かせる」で，不定法は étonner．「(不意・意表をついて人を) 驚かせる」というニュアンスを出すには surprendre を使う（例：Cette nouvelle a surpris tous les étudiants.「その知らせには学生全員が驚いた」）．なお，左記の例文は「いかにもありそうなことだ」とも訳せる．

(022) Quelle chaleur !　◯感嘆文の言い方は何通りかあり，Qu'il fait chaud !, Comme il fait chaud !, Qu'est-ce qu'il fait chaud ! でも同じ意味．

(023) L'homme est un animal curieux.　◯正解は curieux(se)．「奇妙な」という意味．英語の *curious* と同様に「好奇心の強い」という意味もある．

(024) Il faut se conduire selon les règles.　◯「～に従って，応じて」という意味も持つ前置詞．selon les règles で「規則どおりに」．

(025) Cela ne mène à rien.　◯「(à に) 導く」という意味の mener が使われている．「それは無に導く」ということで，ne mener à rien で「何にもならない，役に立たない」という意味．servir à qch.「(à に) 役立つ」を使った，Cela ne sert à rien. も類似表現で「それは何の役にも立たない」の意味になる．

(026) Voilà la lettre qu'il m'a transmise.　◯transmettre を複合過去で使っている展開．なお，この文の直接目的語 la lettre（女性名詞単数）が過去分詞 transmis よりも前に置かれているので，過去分詞が la lettre に性数一致して transmise となる．

仏検3級〜準2級準備レベル　第5回　とりあえずチャレンジ

データ本位対応　▶PP.185 - 188

適語を選びなさい．

(027) 布類を洗濯した後は，アイロンをかけないといけない．
＊il faut le repasser の "le" に注目！
Après avoir lavé (1. **la langue**　2. **le linge**), il faut le repasser.

2つの文章がほぼ同じ意味（含意）になるようにするのに適当なのは 1. 2. あるいは 3. のいずれの語か答えなさい．

(028)
On a passé une très bonne soirée.
＝ On a passé une (1. **excellente**　2. **misérable**) soirée.

(029)
Clara arrivera certainement en retard.
＝ Clara arrivera (1. **fréquemment**　2. **sûrement**) en retard.

★(030) ＊conduire qn. ＋前＋場所「人を〜へ導く」
Elle m'a conduit vers la sortie.
＝ Elle m'a (1. **dirigé**　2. **emporté**　3. **laissé**) vers la sortie.

2つの文章がおおむね反対の意味になるようにするのに適当なのは 1. 2. いずれの語か答えなさい．

(031) ＊manquer le train で「電車に乗り遅れる」．
J'ai manqué le dernier train.
↔ J'ai (1. **attrapé**　2. **monté**) le dernier train.

(032)
Ce film américain me plaît beaucoup.
↔ Ce film américain n'a aucun (1. **intérêt**　2. **rapport**) pour moi.

(027) Après avoir lavé le linge, il faut le repasser.
　▶正解は 2．le linge はシーツや下着などの布類全般を指す集合的な名詞なので，常に単数で使う．un lave-linge とすると「洗濯機」（= une machine à laver）の意味になる．repasser は自動詞では「再び通る」"re-（再び）＋passer（通る）"，他動詞なら「アイロンをかける」という動詞になる．ちなみに「アイロン」は un fer à repasser（→アイロンをかける"鉄"）と表現．la langue は「舌，言語」（例：la langue maternelle「母語」）のこと．

(028) On a passé une excellente soirée.
　▶「素敵な夜を過ごした」というほぼ同意の文をつくりたいので，excellent(e)「すばらしい，見事な」の女性形が入る．2 の misérable は「悲惨な」，こちらを選ぶと答えも悲惨なことになる．ちなみに，ユゴーの "Les Misérables" は「不幸な人たち」が直訳だが，黒岩涙香が『ああ，無情』と絶妙な邦訳をほどこした．なんとも excellent なタイトルでは！

(029) Clara arrivera sûrement en retard.
　▶「クララはきっと遅れてくるだろう」の意味で，正解は 2 である．sûrement は副詞で，"sûre「確実な」の女性形単数＋-ment" の展開．「確実に」という意味．もう一方の選択肢の fréquemment は「しばしば」（= souvent）．

(030) Elle m'a dirigé vers la sortie.
　▶「彼女は私を出口の方に連れていった」で，1 が正解．「（sur, vers, contre に）導く，向ける」の意味．conduire も diriger も「導く」というニュアンスで使う．名詞 une direction は「方向，方針」の意味，関連づけて覚えておきたい．2 の emporter は「（物を）持っていく」，3 の laisser は「置きっぱなしにする」．なお，la sortie の反対語「入口」は l'entrée．

(031) J'ai attrapé le dernier train.
　▶「私は最終電車に乗り遅れた」↔「間に合った」．したがって 1 が答え．attraper は「捕まえる」という意味だが，乗り物に「間に合う」という語義も忘れてはならない．2は monter dans le train としないと「電車に乗る」という表現にはならないし，その際には être monté(e) でないと正しい複合形にならない．

(032) Ce film américain n'a aucun intérêt pour moi.
　▶「このアメリカ映画は私にはとても面白い」↔「何の興味もない」の意味で，正解は 1．plaît の不定法は plaire「（人を）楽しませる」なので，un intérêt「興味，関心」を否定すると文意が逆になる理屈．intérêt には「利益，利子，重要性」の語義もある．1 の un rapport は「関係」あるいは「報告」の意味．

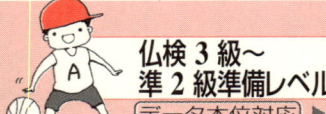

適語を選びなさい．

(033) 午後7時以降なら彼女はたいてい家にいる．
Elle est (1. **exceptionnellement** 2. **généralement**
3. **heureusement**) chez elle après dix-neuf heures.

(034) この服は窮屈だ．
Ces vêtements me (1. **serrent** 2. **servent**).

２つの文章がほぼ同じ意味（含意）になるようにするのに適当なのは
1. 2. あるいは 3. のいずれの語か答えなさい．

(035) ＊dans cette rue の代わりに sur cette route も使える．
Des accidents se produisent très souvent dans cette rue.
= Il y a (1. **certains** 2. **de nombreux** 3. **trop peu d'**)
accidents dans cette rue.

★(036)
Je dois attendre encore.
= Je suis (1. **conseillé** 2. **forcé** 3. **interdit**) d'attendre
encore.

(037) ＊selon la météo で「天気予報によると」という意味．
Selon la météo, il pleuvra demain.
= La météo (1. **prévoit** 2. **propose**) qu'il pleuvra demain.

(033) Elle est **généralement** chez elle après dix-neuf heures.
▶ 正解は 2 の *généralement*「一般的に，たいてい」．1. **exceptionnellement** は「例外的に」，3. *heureusement* は「幸いにも，運良く」(反対語：「不幸にも」*malheureusement*)．問題文の適語を **normalement**, *habituellement* あるいは **en général** と置き換えても同じ意味になる．

(034) Ces vêtements me **serrent**.
▶ 正解は 1. **serrer** は「締める」の意味で，「服が私を締めつける」という展開から，「きつい」というニュアンスになる．**serrer** を使った表現では，**se serrer la main**「握手する」の頻度が高い．選択肢 2 の **servir** は他動詞で「(人に)仕える，(料理を)出す，助ける」，自動詞では「役立つ」の意味．「手助け，サービス」を意味する名詞は **un service**，英語 *service* と綴りは同じ．

(035) Il y a **de nombreux** accidents dans cette rue.
▶「この道では事故が数多く起こる」となる．2. **nombreux(se)**「いくつもの」が入る．この語は数えられる名詞を修飾する．de nombreux accidents は **beaucoup d'accidents** と表現しても同義になる．1 の **certain(e)** は後ろに名詞の複数形をともなうと「いくつかの，ある種の」という意味になる形容詞．3 の **trop peu de** は「少なすぎる」という意味．ともに答えにはならない．

(036) Je suis **forcé** d'attendre encore.
▶ 文意は「私はまだ待たなければならない」．したがって，正解は 2. **forcé**．forcer は「強いる」の意味なので，受け身 **être forcé(e) de** *inf.* とすると「〜せざるを得ない」となる．**obliger** は類義語で，上記の文は **Je suis obligé d'attendre encore.** としても同じ意味．1 は動詞 **conseiller**「勧める」から，3 は動詞 **interdire**「禁じる」から派生する過去分詞．

(037) La météo **prévoit** qu'il pleuvra demain.
▶「天気予報によると，明日は雨だろう」の文意から正解は 1. **prévoir** は "pré (先に)＋voir (見る)" という含意から「予想する」となる．名詞 **la prévision** は「予想，予測」の意味，**la météo** は **la prévision de la météo** とも言える．*la prévoyance*「先見の明」という名詞もある．選択肢 2 は **proposer**「(人が)提案する，申し出る」の意味．ここには入らない．

Très bien!

第7回 おまけのチャレンジ

仏検3級〜準2級準備レベル
データ本位対応 ▶ PP.185 - 191

2つの文章がほぼ反対の意味になるようにするのに適当なのは 1. 2. 3. いずれの語か答えなさい．

(038)
Tout d'abord, ils ont pris contact avec un spécialiste.
↔ Ils ont (1. avec plaisir 2. finalement 3. rapidement) pris contact avec un spécialiste.

和訳に合うように並べ替えなさい．

(039) いずれにしても，こうした問題は出てくるだろう．
(toute, manière, de), cette question se posera.

(040) 患者は食事を半分食べた．
Le patient a mangé (repas, du, moitié, la).

★(041) 意欲がないのは君だけじゃないよ．
＊〈manquer de＋無冠詞名詞〉は「〜を欠く」となる大切な表現．
Tu n'es pas le seul à (volonté, manquer, de).

★(042) お待たせして申し訳ありません．
Je (de, vous, regrette, avoir) fait attendre.

(038) Ils ont **finalement** pris contact avec un spécialiste.
- ○**prendre contact avec** *qn.* で「(人と) 連絡をとる」となる熟語. したがって,「まず最初に (**d'abord** は「まず」, **tout d'abord** なら「何よりもまず」の意味), 彼らは専門家とコンタクトを取った」↔「彼らは最後に」と対比する文にしたい. 空欄に入るのは, **final(ale)**「最後の」から派生語した副詞 **finalement** で,「最後に, 結局」の意味. **enfin, à la fin** など同義表現が多い. 2の **rapidement** は「速く」(反対語:「遅く」**lentement**) の意味.

(039) **De toute manière**, cette question se posera.
- ○「手段」**une manière** を, **de toute manière**"いかなる手段を使っても" とすると,「いずれにしても, とにかく」という意味をもつ熟語になる. 例文に使われている **se poser** は「(問題などが) 生じる, 提起される」という意味,「(**sur** に) 止まる, 着陸する」といった意味にもなる代名動詞だ.

(040) Le patient a mangé **la moitié du repas**.
- ○**moitié** は「半分」という女性名詞.「～の半分」というときは **la moitié de** *qn. / qch.* と定冠詞を添えて使われる (例 **manger la moitié d'une pomme**「リンゴの半分を食べる」). **un patient, une patiente** は「患者」(同義語:「病人, 患者」**un malade, une malade**) のこと, 形容詞 **patient(e)** は「我慢づよい」の意味である.

(041) Tu n'es pas le seul à **manquer de volonté**.
- ○**la volonté** は「意志, 意欲, 意向」を意味する名詞. 形容詞は **volontaire**「自分の意志による」. この単語は名詞で使うと英語の *volunteer*「ボランティア」の意味ももつ. なお, 問題文の〈名詞 (**le seul**) à *inf.*〉という形は, "à *inf.*" が後ろから名詞を修飾する形容詞的な用法で, 関係代名詞を用いれば ...**le seul qui manque de volonté** と言い換えられる.

(042) Je **regrette de vous avoir** fait attendre.
- ○**regretter de** *inf.* で「～することを後悔する」の意味. ただし,「後悔する」の後ろに従える動作は過去. そこで **avoir fait attendre** で「待たせたこと (を)」とする. もちろん, 人称代名詞の **vous** は不定法過去の前に置かれる.

第8回 思いっきり力試し

仏検3級〜準2級準備レベル
データ本位対応 ▶ PP.185 - 191

3 空欄に適語を入れなさい（前頁の復習を含む）．

(043) 天気予報によれば天気は回復する見込みだ．
La météo pré_____ que le temps s'améliorera.

(044) 君のチョコおいしそうだね！ 半分ちょうだい．
Il a l'air très bon, ton chocolat ! Donne-m'en la moi_____ .

★(045) 彼女は男のような服装をしている．
＊「仕方，方法」を意味する名詞が入る．
Elle s'habille à la ma_____ des hommes.

★(046) この本は買った方が得ですよ．＊「利益，得」という名詞は？
Vous avez in_____ à acheter ce livre.

★(047) 野菜は好きなだけとっていいよ．＊「意志通りに」が直訳の一言．
Tu peux prendre des légumes à vol_____ .

(048) あの人はパリで企業を経営している．
Ce monsieur di_____ une entreprise à Paris.

(049) （プラット）ホームでお待ちします．
Je vous attendrai sur le q_____ .

(050) 10人の受験者が試験を受けた．
Dix candidats se sont présentés au con_____ .

(051) 歴史的建造物は何も見なかった．
Je n'ai vu aucun monu_____ historique.

(052) 我々は表現の自由を持っています．
Nous avons la lib_____ d'expression.

(043) La météo **prévoit** que le temps s'améliorera. ▶037を思い出して欲しい．**prévoir**「〜を予想する」を入れる．代名動詞 *s'améliorer* は「(天気・健康が) 回復する」の意味．

(044) Il a l'air très bon, ton chocolat ! Donne-m'en la **moitié**. ▶「半分」**la moitié** を入れる．代名詞 **en** が，**de ce chocolat**「そのチョコの(半分)」を受けている．

(045) Elle s'habille à la **manière** des hommes. ▶**la manière**「手段，やり方」は **à la manière de** *qn.* / *qch.* で「〜のように，〜式に」という熟語(＜à la manière +形容詞＞なら「〜風に」). 前置詞 **comme** の類語．また **à la façon de** *qn.* / *qch.* も同じ意味．動詞 **habiller** は「服を着せる」，これが例文に使われた代名動詞 **s'habiller** になると「服を着る」の意味になる．

(046) Vous avez **intérêt** à acheter ce livre. ▶**intérêt**「利益，得」から，**avoir intérêt à** *inf.* とすると「〜するのが得である」の熟語．例文は「この本をお買いになることをおすすめします」とも訳せる．

(047) Tu peux prendre des légumes à **volonté**. ▶熟語 **à volonté** は「意志通りに」→「好きなだけ，好きなときに」という意味．なお，例文の **tu peux** を機械的に「君は〜できる」となんでも「可能」で訳す人が少なくないが，これは避けたい．**pouvoir** には「許可：〜してもよい」「推定：〜かもしれない」「依頼：〜してくれませんか」など多様なニュアンスが含まれているからだ．

(048) Ce monsieur **dirige** une entreprise à Paris. ▶「経営する，運営する」という **diriger** の重要な語義．**directeur(trice)**「長，支配人」は派生語．

(049) Je vous attendrai sur le **quai**. ▶「プラットホーム」あるいは「河岸」となる男性名詞 **quai** が入る．

(050) Dix candidats se sont présentés au **concours**. ▶日本語の「コンクール」から類推できる語．**un concours** は定員の決まっている「(入学試験のような)試験」のこと．「優良可」の判定がつくいわゆる「到達度試験」を指す **un examen** とは別．なお，この **se présenter** は「(試験を)受ける」の意味．

(051) Je n'ai vu aucun **monument** historique. ▶「(歴史的・芸術的な)記念建造物」を意味する **un monument** を入れる．類義語に **un bâtiment**「建物，ビル」や *un édifice*「(大きな)建造物」がある．

(052) Nous avons la **liberté** d'expression. ▶**la liberté** は英語の *liberty* あるいは *freedom* に相当する大切な語．**la liberté d'expression** で「表現の自由」，**la liberté de** *la presse* なら「言論・出版の自由」．

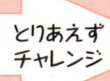

適語を選びなさい．

(053) 政府は必要な措置を全てとった．
Le (1. **gouvernement** 2. **parlement**) a pris toutes les mesures nécessaires.

(054) 彼は2004年に法学の学士号を取った．
Il a passé (1. **son doctorat** 2. **sa licence** 3. **sa maîtrise**) en droit en 2004.

(055) タクシーがもう前に進まない．渋滞に巻き込まれてしまった．
Le taxi n'avance plus. Il est pris dans un (1. **embouteillage** 2. **encouragement**).

2つの文章がほぼ同じ意味（含意）になるようにするのに適当なのは 1. 2. あるいは 3. のいずれの語か答えなさい．

★(056) ＊「心配事があるの？」と親しい人にたずねる文章．
Tu as des ennuis ?
= Tu as des (1. **doutes** 2. **plaintes** 3. **soucis**) ?

(057) ＊être plein(e) de... で「～でいっぱいである」の意味．
Le verre est plein d'eau.
= Le verre est (1. **rempli** 2. **vide**) d'eau.

(058)
Il est trop sévère envers ses enfants.
= Il est trop (1. **doux** 2. **rigoureux**) avec ses enfants.

(053) Le gouvernement a pris toutes les mesures nécessaires.
　　▶正解は 1. gouvernement「政府，政治（形態）」．この語から派生する動詞は *gouverner*「統治する」．選択肢 2 の *le parlement* は「議会，国会」のこと，通常 *Parlement* と大文字で使われる．なお，「必要な措置」les mesures nécessaires は les dispositions nécessaires とも書ける．

(054) Il a passé sa licence en droit en 2004.
　　▶2 の sa licence が入る．「認可，ライセンス」を意味するが，特に「学士号」を指し，faire sa licence で「学士課程にいる」という言いまわしになる．選択肢の *le doctorat* は「博士号」，*la maîtrise* が「修士号」．ただし，現在はヨーロッパ基準の *master* 制度に変わった．

(055) Le taxi n'avance plus. Il est pris dans un embouteillage.
　　▶正解は 1 の語．un embouteillage は「渋滞」で，もともと「瓶に詰める」という意味だった *embouteiller* が「（道を）ふさぐ，混雑させる」となり，それが名詞「詰まること」＝「渋滞」という意味になった．2 の *un encouragement* は「励まし」．レベルの高い単語だが le courage「勇気，熱意」の派生語であると気づけば覚えやすい．

(056) Tu as des soucis ?
　　▶des ennuis「心配事，悩み」という語が用いられた「心配事があるの？」という意味の表現．選択肢は番号順に「疑い」「不満」「心配」．したがって 3. soucis を選ぶ．この souci は部分冠詞を使うことも不定冠詞を使うこともできる名詞で，上の文は Tu as du souci ? と表現してもよい．

(057) Le verre est rempli d'eau.
　　▶解答は 1. rempli は remplir「満たす」（反対語：vider「空にする」）の過去分詞派生の形容詞で，〈être rempli(e) de＋無冠詞名詞〉で「～をいっぱいにする」という言いまわし．したがって，「コップには水がいっぱい入っている」という文意になる．remplir は remplir un *dossier*「書類に（必要事項を）記入する」という意味でもよく使われる．vide は「空の，何も入っていない」を意味する形容詞．le vide なら「虚空」を指す名詞．

(058) Il est trop rigoureux avec ses enfants.
　　▶「彼は子供たちに厳しすぎる」なので，正解は 2 の rigoureux(se) で sévère「厳しい」の類義語．一方の doux（女性形 douce）は「優しい」という意味，sévère の反対語になる．なお，doux(ce) には「甘い」という意味（例：un vin doux「甘口のワイン」）や「（気候が）温暖な」という意味（例：Il fait doux.「気持ちの良い陽気だ，穏やかな天気だ」）でも使われる．

適語を選びなさい．

(059) 入口の明かりをつけてください．
(1. **Allongez**   2. **Allumez**) dans l'entrée.

(060) 怒りで我を忘れて，彼は大声をあげた．
(1. **Autour**   2. **Hors**) de lui, il a poussé un cri.

(061) 以下の問いに答えなさい．
Répondez aux questions (1. **suffisantes**   2. **suivantes**).

(062) 彼女とはいつも一緒に出歩いている．仲のよい友達だ．
Je sors tout le temps avec elle. C'est une amie (1. **intime**   2. **timide**).

２つの文章がほぼ同じ意味（含意）になるようにするのに適当なのは 1. 2. いずれの語か答えなさい．

(063) ＊この familier(ère) は「（表現が）くだけた，平俗な」という意味．
On dit comme ça en langue familière.
= On dit comme ça en langue (1. **courante**   2. **maternelle**).

(064)
Tu vas réussir ! Il n'y a aucun doute !
= Tu vas réussir ! Il n'y a pas le (1. **moindre**   2. **petit**) doute !

(059) **Allumez** dans l'entrée.
> 正解は 2 の *allumer*「火をともす，明かりをつける」の命令形．この単語から派生した名詞に，une *allumette*「マッチ」がある．反対語となる動詞 *éteindre*「火を消す，明かりを消す」とセットで覚えたい．1 は「長い」long(ue) に由来する *allonger*「伸ばす」の命令形である．

(060) **Hors** de lui, il a poussé un cri.
> 前置詞の *hors* は，hors de... の形で「(空間)～の外に」(例：hors de la ville「町の外に，郊外に」) を意味する語．また，〈hors＋無冠詞名詞〉で「～をはずれた」というニュアンスを持つ成句を作る．例文の hors de soi は「(意識が) 自分の外に (出てしまって)」ということなので「我を忘れて，立腹して」という熟語になる．2 の *autour de qn. / qch.* は「～の周りに」．なお，pousser un cri (= crier) で「大声をあげる」となる．

(061) Répondez aux questions **suivantes**.
> 正解は 2 の *suivantes*．suivant(e) は動詞 *suivre*「ついていく」から生まれた語で，「次の」(英語の *following* や *next* に当たる) を意味する形容詞．前置詞 *suivant*「～に応じて」という語もある．選択肢 1 の *suffisant(e)*「十分な」は，動詞 *suffire*「十分である」から派生した形容詞．

(062) Je sors tout le temps avec elle. C'est une amie **intime**.
> 正解は 1 の *intime*．「彼女とはいつも一緒に出かける．彼女は親友だ」という文意．いつも一緒なので，*intime*「親密な」を選ぶ．2. *timide* は「臆病な」という意味なので文脈にそぐわない．

(063) On dit comme ça en langue **courante**.
> 1 の *courante* を選ぶ．la langue *familière* も la langue courante (形容詞 *courant(e)* は「流れている」という語で「普通に流通している」→「日常の」という意味になる) もどちらも「日常語」の意味なので，例文は「日常語ではこう言う (こう言われる)」となる．2 を入れて，la langue *maternelle* となると 027 の解説でも触れたように「母語」のこと．

(064) Tu vas réussir ! Il n'y a pas le **moindre** doute !
> 正解は 1 の *moindre*．「君なら成功するよ！ ぜったい間違いないよ！」．Il n'y a aucun doute.「いかなる疑いもない」とほぼ同意の，Il n'y a pas le moindre doute.「最小の疑いもない」としたい．*moindre* は定冠詞あるいは所有形容詞とともに用いて「最小の」という意味 (petit(e)「小さい」の最上級)．

Très bien !

和訳に合うように並べ替えなさい．

(065) 何も心配ありませんよ．
Tu n'(rien, as, craindre, à).

(066) セリーヌは我々のミスを的確に指摘した．
＊justement は「的確に」あるいは「まさに」という意味をもつ副詞．
Céline (notre, a, justement, remarqué) faute.

２つの文章がほぼ同じ意味（含意）になるようにするのに適当なのは
1．2．いずれの語か答えなさい．

(067)
Tu aimes lire ?
= Tu aimes (1. la lecture 2. la livraison) ?

２つの文章がだいたい反対の意味になるようにするのに適当なのは
1．2．3．いずれの語か答えなさい．

★(068)
Ils sont aimables pour nous.
↔ Ils sont (1. gentils 2. hostiles 3. sympathiques) envers nous.

(065) Tu n'as rien à craindre.
> ○ craindre は「恐れる，心配する」．n'avoir rien à *inf.* で「〜するべきものは何もない（英語の *have nothing to do*）」という意味．別例をあげれば，Je n'ai rien à faire ce soir.「今晩は何もすることがない」となる．

(066) Céline a justement remarqué notre faute.
> ○ 副詞の justement は形容詞 juste「正確な」からできた副詞．「的確に，正確に」，あるいは「まさに，ちょうど」（例：On parlait justement de toi.「ちょうど君のことを話していました」）という意味．複合過去の文に副詞を入れるときは，通常 avoir と過去分詞の間に入る点に注意したい（例：「食べすぎた」J'ai trop mangé.）．

(067) Tu aimes la lecture ?
> ○ aimer *inf.*「〜するのを好む」から問題文は「読書が好きですか？」となる．答えは，lire「読む」が名詞化した la lecture「読むこと，読書」．lecteur(trice) は「読者」を意味する名詞．ちなみに「彼女は読書家だ」と表現するときは，Elle lit beaucoup.（→たくさん本を読む）が簡明である．2の la livraison は「配達」の意味（老婆心ながら書き出しからの安易な類推で，un livre「本」と結びつけて考えないこと）．

(068) Ils sont hostiles envers nous.
> ○ 正解は 2 の hostiles．aimable「親切な，愛想のいい」という語を用いた「彼らは私たちに愛想がいい」という文 être aimable pour [avec] *qn.* を形容詞 hostile「敵意のある，反対している」に置きかえれば反意となる（→敵意を持っている）．例文は人称代名詞の nous「私たちに」を使って Ils nous sont hostiles. とも書ける．1 は「親切な」，3 は「感じがいい」なので aimable の類義語ではあるが反対語ではない．

第12回 仏検3級〜準2級準備レベル 思いっきり力試し
データ本位対応 ▶ PP.192 - 198

4 空欄に適語を入れなさい（前頁の復習を含む）．

(069) このリンゴは酸っぱい．でもそっちのは甘い．
Cette pomme-ci est acide. Mais celle-là est d_____ .

(070) 彼女はこの国で暮らすことを心配していた．＊直説法半過去で．
Elle craign_____ de vivre dans ce pays.

(071) ロンドンの空気は澄んでいない．＊英語の pure に相当する語．
L'air n'est pas p_____ à Londres.

(072) この本にはたくさん絵がある．＊「〜を含む」と考える．
Ce livre con_____ beaucoup d'images.

(073) その日，レオは用事がなかった．
Léo était dispo_____ ce jour-là.

★(074) 大臣は世論に反対している．
Le ministre est hos_____ à l'opinion publique.

(075) 書類に必要事項を書き込んでください．
Remp_____ le dossier, s'il vous plaît.

★(076) ああ！ ATMがまた故障中だ！ ＊「サービスから外れた」とする．
Ah ! Le distributeur est encore ho_____ service !

(077) 彼はちょうど出発したところだった．
Il venait jus_____ de partir.

(078) 彼はすやすやと眠った．＊「すやすやと」＝「心配もなく」
Il a dormi sans sou_____ .

(069) Cette pomme-ci est acide. Mais celle-là est douce. ◐正解は douce．味覚の「甘い」という意味の doux の女性形単数になっている．acide は「酸っぱい」（類語の aigre は「(不快に) 酸っぱい」というニュアンス）．例文の celle-là は cette pomme-là のこと．

(070) Elle craignait de vivre dans ce pays. ◐craindre de inf.「(de することを) 心配する，恐れる」の直説法半過去を入れる．

(071) L'air n'est pas pur à Londres. ◐pur(e)「澄んだ，混じりけのない」という形容詞の男性形単数が入る．ほかに la science pure「純粋科学」や，avoir le cœur pur「(純な心を持つ→) 汚れを知らない」といった表現がある．

(072) Ce livre contient beaucoup d'images. ◐contenir「含む，中に納める」の活用が入る．類例 Cette bouteille contient deux litres d'eau.「このボトルには水が 2 リットル入っている」などを記憶しておきたい．

(073) Léo était disponible ce jour-là. ◐正解は disponible「時間が空いている，利用できる」という形容詞．"disposer（自由に使う）＋-ible（〜できる）" という語である．

(074) Le ministre est hostile à l'opinion publique. ◐être hostile à qn. / qch. で「〜に反対する」という表現．être opposé(e) à qn. / qch. と類義．ministre「大臣」は英語なら minister と綴りが違う．"l'opinion（意見）＋publique（大衆の）" は「大衆の意見」なので「世論」のこと．

(075) Remplissez le dossier, s'il vous plaît. ◐remplir「満たす」の vous に対する命令形が入る．「書類の空欄を埋める」という意味で，入学手続き，施設への登録，役所での書類提出など日常的に使われる．

(076) Ah ! Le distributeur est encore hors service ! ◐前置詞 hors の〈hors＋無冠詞名詞〉という形で用いられた例．hors service は「(サービスから外れた→) 故障中の，使用できない」(= en panne) なお，ATM は un distributeur de billets あるいは un guichet automatique が正式．

(077) Il venait juste de partir. ◐正解は副詞の juste．近接過去の「〜したところだ」venir de inf. と共に使われて「ちょうど〜したところだ」となる．近接過去は現在かあるいは半過去でのみ用いられる点に注意．

(078) Il a dormi sans souci. ◐un souci が「心配」なので，sans（英語の without に相当する）という前置詞を添えて，sans souci となれば「心配もなく，のんきに」という意味の熟語になる．

適語を選びなさい．

(079) 1日に何本タバコを吸うの？
Tu fumes combien de (1. **cigares** 2. **cigarettes**) par jour ?

(080) 大げさな！
Tu (1. **exagères** 2. **excites** 3. **excuses**) !

(081) 値段はラベルに表示されています．
Le prix est (1. **manqué** 2. **marqué**) sur l'étiquette.

(082) この国は自由主義政策をとっている
Ce pays (1. **applique** 2. **complique**) une politique libérale.

(083) 君の泊まっているホテルはどの方向にあるの？
Ton hôtel, c'est dans (1. **quelle direction** 2. **quel endroit**) ?

2つの文章がほぼ同じ意味（含意）になるようにするのに適当なのは 1．2．いずれの語か答えなさい．

(084)
J'ai très mal à la tête.
= J'ai une grande (1. **douleur** 2. **peine**) à la tête.

(085) ＊comme vous voulez は「お好きなように」の意味．
Agissez comme vous voulez.
= Agissez selon votre (1. **principal** 2. **propre**) jugement.

(079) Tu fumes combien de cigarettes par jour ?
　　　◎正解は 2 の cigarettes「（通常の紙巻き）タバコ」．1 の un cigare は「葉巻」のこと．une cigarette は cigare に "-ette（～の小さい物）" という接尾辞がついてできた語．un *paquet* de cigarettes で「タバコ 1 箱」を指す．

(080) Tu exagères !
　　　◎正解は 1 の exagères．exagérer は「大げさに言う，度を過ごす」という意味．例文は文脈によって「けしからん！」といきどおる文にもなる．選択肢 2 の exciter は「興奮させる」，3 の excuser は「許す」の意味．

(081) Le prix est marqué sur l'étiquette.
　　　◎2 を入れる．marquer は「印を付ける，記入する」なので，「値段が記入されている」という意味の受動態になる．une étiquette は「値札，名札，ラベル」のこと．1 の manquer は「(de) を欠く」という動詞．

(082) Ce pays applique une politique libérale.
　　　◎正解は applique．appliquer「適用する」を活用したもの．名詞 une application は「適用，応用，貼付け」を意味する．*libéral(ale)* は英語から日本語に移入された語だが「（経済・政治の）自由主義的な」を意味する形容詞．1 の compliquer は「複雑にする」（形容詞「複雑な」compliqué(e)）．

(083) Ton hôtel, c'est dans quelle direction ?
　　　◎direction「方向，方針」は，他動詞の diriger「導く，向ける」の名詞．un bus en direction de Monaco「モナコ行きのバス」といった用例もある．2 は un endroit は「場所」を意味する男性名詞だ．

(084) J'ai une grande douleur à la tête.
　　　◎「とても頭が痛い」という文で，正解は 1 の douleur「（肉体的・精神的）苦痛，痛み」．成句「～が痛い」〈avoir mal à＋（定冠詞）身体〉に対して，avoir une douleur [des douleurs] と不定冠詞を要するので注意．2 の peine は「心痛・苦労」という名詞．avoir de la peine で「心を痛める」といった使い方はするが，この空所には適さない．

(085) Agissez selon votre propre jugement.
　　　◎上は「したいように振る舞ってください」という意味．正解は 2 の propre．propre は名詞の前につくと「自分自身の，固有の」，後ろだと「清潔な，きれいな」（例：Vous avez les mains propres ?「手はきれいですか？」）の意味になる．下の文は「あなた自身の判断に基づいて行動してください」という意味でほぼ同意．1 の principal(ale) は「主要な，主な」．

適語を選びなさい．

(086) 電車に乗りそこねた．＊使うのは arrêter それとも rater ?
J'ai (1. **arrêté**　2. **raté**) mon train.

(087) この機械には欠陥がある．
Cette machine a (1. **un défaut**　2. **une faute**).

(088) 愛らしい子供がほしいなあ．
J'espère avoir un enfant (1. **aimable**　2. **méchant**).

2つの文章がほぼ同じ意味（含意）になるようにするのに適当なのは 1．2．あるいは 3．のいずれの語か答えなさい．

(089) ＊soigneusement は「注意深く」．
Examinez ce document soigneusement．
= Examinez ce document avec (1. **hostilité**　2. **soin**).

(090)
Mon père a beaucoup travaillé hier.
= Mon père a (1. **énormément**　2. **lentement**　3. **rapidement**) travaillé hier.

2つの文章がおおむね反対の意味になるようにするのに適当なのは 1．2．いずれの語か答えなさい．

★(091)
Notre chien était blessé quand il est revenu.
↔ Notre chien est revenu sain et (1. **sûr**　2. **sauf**).

(086) J'ai raté mon train.
　▶正解は 2 の raté で，rater「打ちそこなう，〜し損じる」の複合過去．rater un train で「電車に乗りそこねる」．rater qn.「〜に会いそこねる」もよく使う．選択肢 1 の arrêté は「止める，逮捕する」を意味する arrêter の過去分詞．

(087) Cette machine a un défaut.
　▶正解は 1 の défaut「欠陥，欠点，不足，欠如」．à défaut de qch.「〜がなければ，〜の代わりに」という熟語は頻度が高い．2 の faute は女性名詞「過ち，間違い」の意味．たとえば，une faute d'orthographe「(単語の) 綴りミス」などで使うし，Ce n'est pas ma faute.「それは私のせいではない」はフランスでの生活に欠かせない一言．

(088) J'espère avoir un enfant aimable.
　▶正解は 1 の aimable「愛想のいい，親切な」．gentil(le) の類語だが「愛らしさ」のニュアンスが加味される．2 の méchant(e) は「意地悪な」の意味．

(089) Examinez ce document avec soin.
　▶「書類を注意深く読んでください」という意味にする．2 が正解．soin「細心さ，入念さ」．左記の副詞 soigneusement「注意深く」= avec soin である．選択肢 1 を使った avec hostilité は「敵意をもって」の意味．

(090) Mon père a énormément travaillé hier.
　▶「父は昨日ものすごく働いた」とする．答えは 1 の énormément「桁外れに，非常に多く」．副詞 énormément は beaucoup より強い意味．Mon père a travaillé dur hier. と書くこともできる．選択肢 2 の lentement は「ゆっくり」，3 の rapidement は「すばやく」．

(091) Notre chien est revenu sain et sauf.
　▶上は「犬が帰ってきたときケガをしていた」．その反意となるように下を「犬は無事に帰ってきた」とする．正解は 2 で sain(e) et sauf(ve)「無事に」という熟語を作る．形容詞の sauf(ve)「無事な」はほとんどこの成句でしか使われない．もうひとつの選択肢 sûr(e) は「確実な，信頼できる，安全な」という大切な形容詞．

２つの文章がほぼ同じ意味（含意）になるようにするのに適当なのは 1. 2. いずれの語か答えなさい.

★(092)　＊éclairer と éclater では意味がまるで違う！
La lumière de cette lampe est faible.
= Cette lampe (1. **éclaire**　2. **éclate**) mal.

２つの文章がおおむね反対の意味になるようにするのに適当なのは 1. 2. いずれの語か答えなさい.

(093)　＊動詞 fermer の反対語は ouvrir. その名詞形は？
Le magasin ferme à 17 heures.
↔ (1. **L'ouverture**　2. **L'ouvrage**) du magasin est à 17 heures.

(094)
Elle n'écrit pas souvent à ses parents.
↔ Elle écrit (1. **régulièrement**　2. **rarement**) à ses parents.

(095)
Ce roman est une fiction.
↔ Tout est (1. **mensonger**　2. **réel**) dans ce roman.

和訳に合うように並べ替えなさい.

(096) 戸口でベルが鳴っている.
On (la, sonne, porte, à).

(092) Cette lampe éclaire mal.
- 「この電灯の光は弱い」＝「この電灯は明るくない（色がくすんでいる）」としたい．正解は 1 の éclaire で，éclairer「照らす」を直説法現在に活用したもの．左ページの文は，Cette lampe donne peu de lumière. とも表現できる．もう一方の選択肢 *éclater* は「爆発する，破裂する」．「（事件や戦争が）起こる」という意味もある（例：La guerre a éclaté.「戦争が勃発した」）．

(093) L'ouverture du magasin est à 17 heures.
- 「店は午後5時に閉まる」↔「店の開店は午後5時だ」と対になる文意に．正解は 1 で，ouvrir「開ける」の女性名詞，「開くこと，開口部」の意味．左ページの文章は Le magasin ouvre à 17 heures. と言っても同じ．なお，選択肢 2 の un ouvrage は英語の *work* に相当する単語で「労働，仕事，作品，細工」など広い語義をもつ．

(094) Elle écrit régulièrement à ses parents.
- 「彼女はあまり頻繁に親に手紙を書かない」に対して「定期的に手紙を書く」としたい．1 の régulièrement「規則正しく」が入る．régulier「規則正しい」という動詞から生まれた副詞．régulièrement は文頭に書くと「ふつうは，いつもは」（＝ normalement, en général, généralement）となる点にも注意したい．選択肢 2 の rarement は「めったに（〜ない）」という副詞．

(095) Tout est réel dans ce roman.
- 「この小説はフィクションだ」↔「この小説にあることはすべて事実だ」としたい．正解は réel(le)「現実の」．réel は le réel とすると「現実のもの」という名詞になる．1 の *mensonger(ère)* は「うその，偽りの」という形容詞でレベルは高いが，そもそもは le mensonge「うそ」から派生した語である．

(096) On sonne à la porte.
- sonner は「ベルが鳴る，ベルを鳴らす」という動詞．例文は「誰かが入口でベルを鳴らしている」とも「ベルの音がする」とも訳せる．sonner の主語は，人の場合も物の場合もあり，Le téléphone sonne.「電話が鳴る」あるいは Quinze heures sonnent.「午後3時の鐘が鳴る」といった表現が可能である．

仏検3級〜準2級準備レベル 第16回 思いっきり力試し
データ本位対応 ▶ PP.199-205

⑤5 空欄に適語を入れなさい（前頁の復習を含む）.

(097) 私は誇張なしに世界一の幸せ者だ. ＊動詞か名詞を入れる.
Je suis le plus heureux du monde, sans **exag**   .

★(098) フルーツサラダを使っていない〔清潔な〕皿の上に盛ってください.
Servez une salade de fruits sur une assiette **pro**   .

(099) いつもは，彼は7時に起きます.
Réguli   , il se lève à sept heures.

(100) 私ははっきりした理由もなく彼（彼女）の提案を断った.
J'ai refusé sa proposition sans raison **pré**   .

(101) 私たちの事業は順調に発展した.
Notre affaire s'est bien **déve**   .

(102) その晩は，父親が赤ん坊の面倒を見ていた.
Ce soir-là, le père prenait **so**   de son bébé.

(103) 私はこの苦しみに耐えられない.
Je ne supporte pas cette **dou**   .

★(104) お手伝いいただけたらとてもありがたいのですが.
Ce serait très **aim**   si vous m'aidiez.

(105) タバコは健康にとって実際に危険なものです.
Le tabac est un danger **ré**   pour la santé.

★(106) （レシピ）そこにワインを，もしなければ，水を入れてください.
Ajoutez-y du vin ou, à **déf**   , de l'eau.

フランス語単語の力を本当につけられるのはコレだ！《応用編》

(097) Je suis le plus heureux du monde, sans exagérer [exagération]. ○sans exagérer [*exagération*]「誇張なしに」という熟語を完成させる．

(098) Servez une salade de fruits sur une assiette propre. ○「清潔な」propre と入れる．ちなみに，フランスには Monsieur Propre「清潔さん」という名の洗剤もある．「不潔な」と対の意味になる形容詞は *malpropre*．例文の動詞 servir は「（料理などを）給仕する」という意味．*une assiette* は「（料理をとりわける）皿」のこと．

(099) Régulièrement, il se lève à sept heures. ○正解は régulièrement．これは文頭に使うと「いつもは，本来は」という意味．

(100) J'ai refusé sa proposition sans raison précise. ○précise は「明確な，的確な」を意味する形容詞の女性単数形，男性形単数は précis．類語は，juste「正しい」，net(te)「はっきりした，きっぱりした」など．

(101) Notre affaire s'est bien développée. ○正解は développée．過去分詞の性数一致に注意．développer「発展させる，（写真を）現像する」が，代名動詞 se développer で「発展する」の意味で使われている．そもそもの意味は「中の物が外に出る」という含意で，envelopper「包む」の反対語である．

(102) Ce soir-là, le père prenait soin de son bébé. ○「入念さ」などの意味を持つ soin は prendre [avoir] soin de *qn. / qch.* とすると「～の面倒をみる，～を大切にする」という意味．英語の *take care of* に相当する熟語である．

(103) Je ne supporte pas cette douleur. ○douleur が入る．la douleur は「（肉体的な）苦痛」の意味でも，「（精神的な）苦しみ」としても用いられる．

(104) Ce serait très aimable si vous m'aidiez. ○〈Ce serait très aimable si S+V（直説法半過去）〉で「～していただけたらありがたいのですが」という婉曲的なお願いをする言いまわし．かなりレベルが高い表現だ．

(105) Le tabac est un danger réel pour la santé. ○空欄に入るのは réel(le)「現実の，実際の」．名詞を後ろから修飾する．この単語は名詞の前に置かれると「本当の，真の」と名詞を強意する語にもなる（例：un réel plaisir「心からの喜び，本当の快楽」）．

(106) Ajoutez-y du vin ou, à défaut, de l'eau. ○à défaut (de *qch.*)「（～が）なければ」という le défaut「欠点，欠陥」を使った熟語．「それが欠けていると（困る），それがないと（代わりを探さないと…）」という感覚で覚えるとよい．なお文頭は Mettez-y … でもかまわない．

適語を選びなさい．

(107) 気を付けて，離れて！　その犬とても気が立ってるよ！
Attention, éloigne-toi ! Ce chien est très (1. **paresseux**
2. **nerveux**) !

(108) 最近食べすぎることが多かった．ダイエットしないと．
Ces derniers jours, j'ai trop mangé. Il faut faire un
(1. **régime**　2. **repos**).

(109) 今回の旅行はとても満足だった，貴重な経験がたくさんできたから．
J'étais très content de ce voyage, car j'ai eu beaucoup d'expériences (1. **prêtes**　2. **précieuses**).

2つの文章がほぼ同じ意味（含意）になるようにするのに適当なのは 1．2．あるいは 3．のいずれの語か答えなさい．

(110) ＊se donner rendez-vous「（互いに）会う約束をする」
Nous nous donnons rendez-vous à la gare.
= Je vous (1. **rejoins**　2. **renvoie**　3. **reviens**) à la gare.

(111)
Qu'est-ce que vous faites dans la vie ?
= Quel (1. **instrument**　2. **métier**) faites-vous ?

2つの文章がおおむね反対の意味になるようにするのに適当なのは 1．2．いずれの語か答えなさい．

(112)
Paul parle en mangeant.
↔ Paul mange en (1. **silence**　2. **tête-à-tête**).

(107) Attention, éloigne-toi ! Ce chien est très nerveux !
　　▶ un *nerf*「神経」(nerfs と複数形で使われる) に由来する nerveux(se)「神経質な, 神経が高ぶった」を選ぶ. la nervosité は「(精神の) 興奮, いらだち」の意味. 1 の paresseux(se) は「怠惰な, 怠け者の」という形容詞. なお, 例文の動詞 éloigner は「(de から) 遠ざける」, 代名動詞 s'éloigner で「(de から) 遠ざかる」の意味.

(108) Ces derniers jours, j'ai trop mangé. Il faut faire un régime.
　　▶ 正解の 1. un régime は l'Ancien Régime「旧体制（アンシャンレジーム）」という表現で知られる語だが, 全く別の「ダイエット」という意味もある. faire un régime で「ダイエットする」となる. 選択肢 2 の un repos は「休憩, 休息」(例：prendre trente minutes de repos「30分間休憩する」).

(109) J'étais très content de ce voyage, car j'ai eu beaucoup d'expériences précieuses.
　　▶ être content(e) de *qn.* / *qch.* / *inf.*「～に（～することに）満足する」に導かれた問題文は,「旅行に満足したよ, だって貴重な経験をたくさんしたから」という意味. したがって, 正解は 2. précieux(se)「貴重な」の女性複数形が入る. 1 は prêt(e)「準備（支度）ができた」を意味する女性形複数の形容詞.

(110) Je vous rejoins à la gare.
　　▶「駅で待ち合わせしよう」を「私は駅であなたと落ち合います」と展開したい. rejoindre「(人と) 合流する」の活用形である 1 が答え (活用は craindre などと同じ. ちなみに過去分詞は rejoint). 選択肢の 2 は *renvoyer*「送り返す」, 3 は revenir「戻る」の活用で解答にはならない.

(111) Quel métier faites-vous ?
　　▶「お仕事は何ですか？」の意味. 正解は 2 の un métier「職業, 仕事」. 上の文は定型表現で, 下は「あなたはどのような職業をしていますか？」が直訳となる. 同義の une profession を使って, Quelle est votre profession ? と言い換えられる. un instrument は「道具, 楽器 (= un instrument de musique)」の意味で, これを選ぶと「あなたどんな楽器を弾きますか？」とたずねる疑問文になる.

(112) Paul mange en silence.
　　▶「ポールは食べながらしゃべる」↔「黙って食べる」としたい. 正解は 1 の silence「沈黙」. en silence「静かに, 黙々と」という言いまわしは頻度が高い. 選択肢 2 の en *tête-à-tête* は「2人きりで, 差し向かいで」という成句.

仏検3級〜準2級準備レベル **第18回** とりあえずチャレンジ

データ本位対応 ▶PP.209 - 212

適語を選びなさい．

(113) 私はサルコジ大統領と会談する．
J'ai un (1. **article**　2. **entretien**) avec le président Sarkozy.

(114) 友達のブログを再び読み始めた．＊接頭辞"re-"の有無．
Je me suis (1. **mis**　2. **remis**) à lire les blogs des copains.

(115) 風邪ひいた？ お大事に！
Tu as attrapé froid ? (1. **Assieds**　2. **Soigne**)-toi bien !

2つの文章がほぼ同じ意味（含意）になるようにするのに適当なのは1．2．いずれの語か答えなさい．

(116)
Donnons-nous un rendez-vous. Quel jour es-tu libre cette semaine ?
＝ Donnons-nous un rendez-vous. Quel jour te (1. **convient**　2. **revient**) cette semaine ?

(117) ＊en conclusion で「結局」．
En conclusion, le projet n'a pas réussi.
＝ En (1. **avance**　2. **somme**), le projet n'a pas réussi.

2つの文章がほぼ反対の意味になるようにするのに適当なのは1．2．いずれの語か答えなさい．

(118)
Je commence à l'aimer petit à petit.
↔ Je l'aime. C'est un amour (1. **réciproque**　2. **soudain**).

(113) J'ai un entretien avec le président Sarkozy.
> 正解は 2 の un entretien「会談」を入れる．「維持する」という動詞 entretenir から派生している語で，「維持，手入れ」（英語の *maintenance*）という意味もある．選択肢 1 の un article は「記事，品物」あるいは「冠詞」を意味する語．

(114) Je me suis remis à lire les blogs des copains.
> 正解は remis．remettre「元の場所に置く」の過去分詞だが，代名動詞 se remettre à *inf.* とすると「再び〜し始める」という熟語になる．ちなみに選択肢 1 の se mettre à *inf.* は「〜し始める」の意味．接頭辞 "re-（再び）" の有無で違いがでる．

(115) Tu as attrapé froid ? Soigne-toi bien !
> 「風邪をひいたの？お大事に！」の意味．正解は 2 で，代名動詞 se soigner「健康に気をつける」の tu に対する命令．102 で確認した prendre soin de *qn. / qch.* と同義．1 を選んで Assieds-toi. ならば「座れ」の意味．

(116) Donnons-nous un rendez-vous. Quel jour te convient cette semaine ?
> 「待ち合わせしましょう．何曜日が空いてますか？」をほぼ同義の「何曜日が都合がいいですか？」としたい．正解は 1 の convient．convenir à *qn.* で「（人に）都合がいい，適する」となる．主語が quel jour で「何曜日」の意味なので注意したい．選択肢 2 は revenir は「再び来る，戻ってくる」という自動詞．

(117) En somme, le projet n'a pas réussi.
> 「結局，計画は失敗した」．正解は une somme「総額，全体」で，en somme の成句で「結局，要するに」という意味になる．enfin, finalement, après tout など同義語が多い．選択肢 1 を使って en avance とすると「進んで，予定より早く（反対語：en retard「遅れて」）」となる．

(118) Je l'aime. C'est un amour soudain.
> 「少しずつ彼（彼女）を好きになり始めている」と意味が逆になるように，形容詞 soudain(e)「突然の」を入れる．petit à petit「少しずつ，徐々に」とほぼ反対の意味になる語で，un amour soudain で「一目惚れ」のこと．したがって，下の文は「彼（彼女）が好き．一目惚れだ」となる．1 の réciproque「相互の，互いの」を選んで，un amour réciproque とすると「両思いの愛」という意味になる．

2つの文章がおおむね反対の意味になるようにするのに適当なのは 1. 2. いずれの語か答えなさい．

(119)
Mon frère est méchant.
↔ Mon frère a (1. un bon caractère 2. une bonne idée).

(120)
Vous faites ce travail plus tard, d'accord ?
↔ Vous faites ce travail (1. évidemment 2. immédiatement), d'accord ?

和訳に合うように並べ替えなさい．

(121) テオはこの事件に通じている．
＊「〜についてちゃんと知らされている」と考える．
Théo (bien, est, sur, renseigné) cette affaire.

(122) この感覚は言葉ではとても表現しにくい．
Cette sensation (exprimer, à, difficile, est).

(119) Mon frère a un bon caractère.
　　◗「兄（弟）は意地悪だ」↔「兄（弟）は良い性格だ」となる対照的な文をつくる．1 の男性名詞 caractère「性格」が入る．ちなみに，avoir un mauvais caractère とすれば「性格が悪い」という表現．avoir une bonne idée は「いい考え（名案）がある」の意味．ここには入らない．

(120) Vous faites ce travail immédiatement, d'accord ?
　　◗「あとでその仕事をしてくださいね，いいですか？」↔「いますぐその仕事をしてくださいね」と対の意味に．正解は immédiatement「すぐに，直に」．（英語の *immediately*）"im-（～なし）+médiat（媒介）" = *immédiat*(e)「直接の」という形容詞から派生した副詞．1 の évidemment は「もちろん，当然に」．たとえば，Evidemment, elle est encore en retard. で「やっぱり，彼女はまた遅刻だ」の意味になる．

(121) Théo est bien renseigné sur cette affaire.
　　◗renseigner は「情報を与える，教える」で，être renseigné(e) sur *qn. / qch.* とすると「（～について知らされている→）～に詳しい」となる．つまり，être bien renseigné(e) なら「事情に明るい」，bien を mal に置き換えれば「事情に疎い」となる．un renseignement「情報」（英語の *information* に相当）という名詞（複数だと「案内（所）」= le bureau de renseignements の意味になる）も一緒に覚えよう．

(122) Cette sensation est difficile à exprimer.
　　◗〈être＋形容詞＋à *inf.*〉「～するのに…だ」というパターン．例文は exprimer「表現する」を使って「表現するのは難しい」という言いまわし．〈Il est ＋形容詞＋de *inf.*〉の構文「～するのは…だ」（非人称主語 il が de *inf.* 以下を指す構文）とは区別すること．ちなみに例文を書き換えれば，Il est difficile d'exprimer cette *sensation*. となる．

第20回 仏検3級〜準2級準備レベル 思いっきり力試し

データ本位対応 ▶PP.206 - 212

6 空欄に適語を入れなさい（前頁の復習を含む）．

(123) 神経症のため眠れません．
Je ne dors pas à cause d'une maladie ner_____ .

(124) この貴重な時間を空費してはならない．
Il ne faut pas perdre un temps pré_____ .

★(125) あと1時間行けば，パリに着きます．
On rejo_____ Paris après une heure de trajet.

★(126) 会員になるには小額のお金を払ってください．
Vous payez une petite so_____ pour devenir membre.

(127) 昨晩，急にポテトチップスが食べたくなった．
Hier soir, j'ai eu une envie soud_____ de chips.

(128) この会社は公共機関の性格を有している．
Ce bureau a un cara_____ de service public.

(129) これはクルミを割るのに適している．
Ça con_____ pour casser les noix.

(130) 彼はハンカチを鞄に入れ直す．
Il re_____ son mouchoir dans son sac.

(131) ギリシアは乾燥した気候だ．
La Grèce a un cli_____ sec.

(132) この道は一方通行だ．
Cette rue est à sens uni_____ .

(123) Je ne dors pas à cause d'une maladie **nerveuse**. ◐**nerveux(se)**「神経の」の女性形単数が入る．〈**à cause de**＋（多くは）負のイメージの語句〉で「〜のせいで」という熟語．

(124) Il ne faut pas perdre un temps **précieux**. ◐正解は **précieux**．形容詞 **précieux(se)** は「貴重な，高価な」という意味．**précieusement** は「大切に」となる副詞．

(125) On **rejoint** Paris après une heure de trajet. ◐**rejoindre** の直説法現在の活用形を入れる．**rejoindre** qn. で「（人と）合流する」の意味だが，〈**rejoindre**＋場所〉なら「〜に到着する，（道が）通じている」を表す．**le trajet** は「道のり，行程」の意味で，**après une heure de trajet** を直訳すれば「1時間の行程の後」となる．単に「1時間後」なら **dans une heure** でよい．

(126) Vous payez une petite **somme** pour devenir membre. ◐**une somme** は「合計，総計」という意味だが，「金額」の語義もある．**une somme importante** とすると「大金」，**une grosse somme** なら「巨額の金」という表現になる．

(127) Hier soir, j'ai eu une envie **soudaine** de chips. ◐正解は **soudaine** となる．**soudain(e)**「突然の」の女性形単数．「私はポテトチップスへの突然の欲求を得た」が直訳になる．

(128) Ce bureau a un **caractère** de service public. ◐**caractère**「性格」は人の性格だけでなく，物事にも使える．**le service public** で「公共機関」，複数形でも用いられ「ガス・電気・鉄道」などの総称として使われる．

(129) Ça **convient** pour casser les noix. ◐**convenir** の活用形が入る．**convenir pour** inf. で「〜するのに適している」の意味．**une noix** は「クルミ」のこと．

(130) Il **remet** son mouchoir dans son sac. ◐正解は **remet** で，"re-（再び）＋ mettre（置く）" つまり「（元の場所に）置き直す，戻す」を活用したもの．**remettre de l'essence**「ガソリンをつぎ足す」，**remettre son manteau**「脱いだコートをまた着る」といった表現でも使われる．

(131) La Grèce a un **climat** sec. ◐正解は **climat**．「天気」全般を表す **le temps** とは違い，地域全般の「気候」を表すのが **un climat** である．

(132) Cette rue est à sens **unique**. ◐**unique** を入れる．**unique** は「唯一の」が基本的な意味だが，その語義から「奇抜な」という意味も派生している．問題文の **à sens unique** は「（唯一の方向の→）一方通行の」という決まり文句．

適語を選びなさい.

(133) あの友だちとはもうつきあったらだめよ！
Ne (1. **fréquente**   2. **freine**) plus cette amie !

(134) この料理，油っこすぎるよ.
C'est trop (1. **gris**   2. **gras**   3. **gros**), ce plat.

(135) 僕もその番組見たよ.
Moi aussi, j'ai vu cette (1. **émission**   2. **mission**   3. **permission**).

２つの文章がほぼ同じ意味（含意）になるようにするのに適当なのは 1．2．いずれの語か答えなさい.

(136)
Je voudrais encore une fois visiter Paris.
= Je voudrais bien (1. **rentrer**   2. **retourner**) à Paris.

(137) ＊vouloir dire「〜を意味する」
Qu'est-ce que ce film veut dire ?
= Quel est le (1. **sujet**   2. **titre**) de ce film ?

２つの文章がおおむね反対の意味になるようにするのに適当なのは 1．2．いずれの語か答えなさい.

★(138) ＊下の文章に接続法が使われている点に注目.
Je sais qu'elle est malade.
↔ J' (1. **ignore**   2. **indique**) qu'elle soit malade.

(133) Ne fréquente plus cette amie !
- 正解は 1. 動詞 fréquenter は「(人と) つきあう, (特定の場所に) よく行く」という語. 形容詞は fréquent(e)「頻繁な」, fréquenté(e)「人がよく集まる」. 選択肢 2 の *freiner* は *un frein*「ブレーキ」から派生した語で,「ブレーキをかける」という上級レベルの動詞.

(134) C'est trop gras, ce plat.
- 正解は 2 の gras(se)「油っこい, 肥満した, 脂肪分の多い」. un *foie* gras は「(太った肝臓→) フォアグラ」で高級品. ただし, 無理に肝臓を肥大させる食材であるため海外から顰蹙(ひんしゅく)も買っている. この形容詞を用いた faire la grasse matinée「朝寝坊する」という表現は頻度が高い. 選択肢 1 は gris(e)「灰色の」, 3 は gros(se)「太った」という意味 (例: Il est gros et gras.「彼はでっぷり太っている」).

(135) Moi aussi, j'ai vu cette émission.
- 正解は 1. émission「放送番組, 放送」. un programme「番組」とほぼ同義. 他動詞「放送する」は émettre (例: émettre un programme de sport「スポーツ番組を放送する」). 残りの選択肢, 英語と同じ綴りの 2. une mission は「使命」, 3. une permission は「許可」である.

(136) Je voudrais bien retourner à Paris.
- 上の「ぜひもう1度パリに行きたい」を, 下の「パリにまた行ってみたい」とする. 正解は 2 の retourner. 他動詞だと「裏返す」, 自動詞で「戻る, 再び行く」という意味になる. 1 の rentrer は「帰る, 戻る」を意味する基本語だが,「再び戻る」のニュアンスにはならない.

(137) Quel est le sujet de ce film ?
- vouloir dire で「〈物が〉意味する」を用いた文,「この映画の意味することは何ですか?」を「この映画のテーマは何?」と展開. 正解は 1 の sujet「主題, テーマ, 主語」. 2 の le titre は「タイトル」(英語は *title*). なお, le sujet は au sujet de *qn. / qch.*「~について, ~のことで」という熟語でも使われる.

(138) J'ignore qu'elle soit malade.
- 「彼女が病気なのは知っている」↔「病気だとは知らない」とするので, ignorer「知らない」を選ぶ. 英語の *ignore* に相当する動詞だが,「無視する」という意味で使うことはあまりないので注意したい. une ignorance は「無知, 知らないこと」, 形容詞 ignorant(e) は「無知な」という意味. もうひとつの選択肢 indiquer は「指し示す, 教える」という他動詞.

適語を選びなさい．

(139) 彼は道で犬をひいてしまった．
Il vient (1. **d'écraser**   2. **de frapper**) un chien sur la route.

(140) 彼は最近眠れなくなったって．健康が心配だよ．
Il ne dort plus ces derniers jours. Je suis (1. **inquiet**
2. **satisfait**) de sa santé.

２つの文章がほぼ同じ意味（含意）になるようにするのに適当なのは
1．2．あるいは 3．のいずれの語か答えなさい．

(141)
Elle s'est mariée avec mon frère.
= Elle a (1. **épousé**   2. **divorcé**   3. **marié**) mon frère.

(142)
Notre région a de nombreux lacs.
= Notre région (1. **existe**   2. **possède**) de nombreux lacs.

★(143) *par avance で「前もって，あらかじめ」．
Je vous dis par avance qu'il sera absent demain.
= Je vous (1. **signale**   2. **signifie**) qu'il sera absent demain.

２つの文章がほぼ反対の意味になるようにするのに適当なのは 1．2．い
ずれの語か答えなさい．

(144)
Mon cousin est vraiment pauvre.
↔ Mon cousin a une grosse (1. **faute**   2. **fortune**).

(139) Il vient d'écraser un chien sur la route.
　　▶近接過去 venir de *inf.* を用いた例文に，1 の écraser「押しつぶす，(車が) ひく」を入れる．代名動詞 s'écraser は「つぶれる，(車などが) ぶつかって駄目になる」という意味 (例：L'avion s'est écrasé.「飛行機が墜落した」). 選択肢 2 の frapper は「打つ，たたく」．

(140) Il ne dort plus ces derniers jours. Je suis inquiet de sa santé.
　　▶「彼はもはや最近眠れない．彼の健康が心配だ」が直訳．空欄に入るのは 1 の inquiet(ète)「心配な」．être inquiet(ète) de *qn.* / *qch.*「〜が心配だ」の形でよく使う．選択肢 2 の *satisfait(e)* は「(人が de に) 満足している (= content(e))」という形容詞．他動詞は *satisfaire*「(人を) 満足させる」．

(141) Elle a épousé mon frère.
　　▶「彼女は私の兄 (弟) と結婚した」という文意．「〜と結婚する」se marier avec *qn.* = épouser *qn.* なので，答えは 1．選択肢 3 の marier は être marié(e) avec *qn.* で「(〜と) 結婚している」の意味．2 の divorcer は「(avec, de *qn.* と) 離婚する」．なお「結婚」という名詞は le mariage，逆に「離婚」は le divorce という語を用いる．

(142) Notre région possède de nombreux lacs.
　　▶「私たちの地方にはたくさん湖がある」で正解は possède. posséder は avoir と同じく「所有している，持っている」という意味をもつ．une possession で「所有」．もう一方の選択肢 exister は自動詞で「存在する」という意味．この動詞を使って書くなら，De nombreux lacs existent dans notre région. とする．

(143) Je vous signale qu'il sera absent demain.
　　▶「彼が明日休むと先に伝えておきます」．上は par avance「前もって，あらかじめ」という成句を用い，下は signaler「合図する，注意を促す」を活用した形．〈Je vous signale que + 直説法〉で「お知らせしておきますが〜」という展開．選択肢 2 の *signifier* は物が主語で「意味する」(例：Que signifie ce mot?「この単語はどういう意味ですか？」)，または「通告する」という意味．〈Je vous *signifie* que + 接続法〉で「あなたに〜すべきことを通告する」となり，ここでは強すぎる表現になってしまう．

(144) Mon cousin a une grosse fortune.
　　▶「僕のいとこは本当に貧乏だ」↔「莫大な財産を持っている」．正解は fortune「財産，幸運」．冠詞をつけずに faire fortune で「財産を築く，成功する」という表現．une grosse faute は「大失敗」という意味である．

Très bien!

仏検3級〜準2級準備レベル 第23回 おまけのチャレンジ

データ本位対応 ▶PP.213 - 215

2つの文章がおおむね反対の意味になるようにするのに適当なのは 1. 2. いずれの語か答えなさい．

(145)
Le parking se trouve au sommet de la montagne.
↔ Le parking se trouve à la (1. base 2. fin) de la montagne.

和訳に合うように並べ替えなさい．

★(146) 一切れのパンを紅茶に浸す．
Je plonge un (dans, de, morceau, pain) le thé.

(147) 医者はピエールに休養を勧めた．
Le médecin (à, de, conseillé, a, Pierre) se reposer.

★(148) この国はコーヒーをたくさん作っている．それを外国にかなり輸出している．
＊en は de café を受けている中性代名詞．
Ce pays produit beaucoup de café. Il (mal, exporte, pas, en) à l'étranger.

(145) Le parking se trouve à la base de la montagne.
> 「駐車場は山の〜にある」の意味，au *sommet* de *qch.* は「〜の頂（てっぺん）に」となるので，それに対する「〜の麓に」としたい．1の base「土台，基礎」を選んで à la base de *qch.* とする（類義の表現に un pied「足」を使った熟語 au pied de *qch.* がある）．選択肢2を用いて à la fin de *qch.* とすると「〜の終わりに」の意味．なお，英語から仏語に入った *un parking* には「駐車場」とともに「駐車」の意味もあり，掲示では « Parking interdit » で「駐車禁止」，逆に「駐車可」の場合は « Parking *autorisé* » と表現される．

(146) Je plonge un morceau de pain dans le thé.
> たとえば，mettre A dans B なら「A を B に入れる」という意味．他動詞「（液体に）つける」 *plonger* であれば，*plonger* A dans B で「A を B に浸す」となる．問題文は A=un morceau de pain, B=le thé という例．un morceau は「いっ片，小さな固まり」という名詞で，un morceau de *qch.* とすると「いっ片の〜」の意味．un morceau de pain「パンのひと切れ」といった具合に，多く，数えられない名詞（不加算名詞）の前で用いる．

(147) Le médecin a conseillé à Pierre de se reposer.
> conseiller à *qn.* de *inf.*「〜するよう人に勧める」の形でよく使う．conseiller は英語の *advise* に相当する動詞．「忠告，アドバイス」という名詞は un conseil．なお，本文は conseiller A à B「B に A を勧める」を用いて，Le médecin a conseillé le repos à Pierre. とすることもできる．代名動詞 se reposer は「休息，休憩」を表す le repos からの派生語，「休息する，休養する」の意味．Reposons-nous un peu. で「ちょっと休みましょう」となる．

(148) Ce pays produit beaucoup de café. Il en exporte pas mal à l'étranger.
> exporter は「輸出する」（逆に「輸入する」は importer）．pas mal de *qn.* / *qch.* で「多くの〜，たくさんの〜」（= beaucoup de *qn.* / *qch.*）を表す．本文は Il exporte pas mal de café à l'étranger. の de café を中性代名詞 en で受けた形となっている．

Très bien!

7 空欄に適語を入れなさい（前頁の復習を含む）.

(149) みんながピエールを馬鹿にしている．
Tout le monde se mo___ de Pierre.

(150) 彼らはどうやって財産を築いたのだろう？
Comment ont-ils fait for___ ?

(151) 君は彼女に対して厳しすぎる．
Tu es trop sév___ avec elle.

(152) 息子は数学が大好き．計算が得意だ．
Mon fils aime beaucoup les maths. Il est fort en cal___ .

(153) その女の子は父親の心配をしている．
La petite fille est inqui___ pour son père.

(154) 私たちは花屋を1軒持っている．
Nous possé___ un magasin de fleurs.

(155) 私は肌が脂っぽい．
J'ai la peau gra___ .

(156) ダヴィドは自然をテーマにたくさん執筆した．
David a beaucoup écrit au su___ de la nature.

(157) これはすばらしい芸術品だ．
C'est un bel ob___ d'art.

(158) スキーをするときは分厚い靴下を履かないといけない．
Pour faire du ski, il faut porter des chauss___ épaisses.

(149) Tout le monde se moque de Pierre. ▶tout le monde は「みんな，すべての人」という意味だが 3 人称単数扱い．答えは moque となる．moquer という動詞は，いつも代名動詞 se moquer de *qn. / qch.* の形で「〜を馬鹿にする，からかう」という表現で用いる．

(150) Comment ont-ils fait fortune ? ▶la fortune「財産」という語を，冠詞なしの熟語 faire fortune とすると「財産を築く」という言いまわし．

(151) Tu es trop sévère avec elle. ▶sévère「厳しい，容赦のない，深刻な」を入れる．この形容詞の単数形は男性形も女性形もこのまま．une maladie grave と言っても同意．なお，un homme sévère とすると「厳しい人」のことで，*rigide* などと同じニュアンス．

(152) Mon fils aime beaucoup les maths. Il est fort en calcul. ▶〈être fort(e) en ＋学科・分野〉で「〜に強い（が得意である）」という意味．男性名詞 calcul「計算，計略，予測」を入れる．「計算する」calculer という動詞も覚えやすい．

(153) La petite fille est inquiète pour son père. ▶正解は inquiète で，inquiet「心配な，不安な」の女性形単数．この文は代名動詞 s'inquiéter「(de を) 心配する」を使って，La petite fille s'inquiète de son père. と書き換えられる．

(154) Nous possédons un magasin de fleurs. ▶正解は possédons となる．posséder「所有する」は活用によって e のアクサンの向きが変わるので注意．

(155) J'ai la peau grasse. ▶gras「脂っぽい」の女性形単数を入れる．たとえば，avoir la peau fine は「きめ細かな肌をしている」，avoir la peau *lisse* なら「すべすべの肌」，avoir la peau sèche「荒れた肌（かさかさした肌）をしている」の意味．

(156) David a beaucoup écrit au sujet de la nature. ▶正解は sujet．au sujet de *qn. / qch.*「〜について」という熟語を作る．*à propos de...* は同義．

(157) C'est un bel objet d'art. ▶objet を入れる．un objet d'art で「美術品」の意味．objet はほかに「物体，対象，目的」などさまざまな意味をもつ．

(158) Pour faire du ski, il faut porter des chaussettes épaisses. ▶空欄には chaussettes「靴下」と入る．épais(se) は「厚い」（反対語：mince「薄い」）や「濃厚な」（＝*dense*）を意味する形容詞．なお，足にはく物は，ほかに *une pantoufle*「スリッパ」，*un collant*「ストッキング」，*un soulier*「短靴」，*une botte*「ブーツ」などがあるが，両足に履くのでみな複数形で使われる．

はじめよう!!

さぁ

仏検準 2 級レベル

（全24回，力がつく156問）

　前章と同じく〈とりあえずチャレンジ！→おまけのチャレンジ！→力試し！〉と，段階的に語彙力を増し，レベルアップしていく．ただし，単語のレベル，例文のレベルはかなり高い．くじけずチャレンジ！　問題の最後までたどり着けばあなたは間違いなく敵なしの"語彙マスター"！
　ＣＤには「思いっきり力試し」の部分を収録．ノーマルスピード→ゆっくりスピードの順で録音されているので，ノーマルスピードで"聞く力"を確認，ゆっくりスピードで"書きとり"に挑戦！　〈聞く＋書く〉力も育てよう．

《表記の説明》
qn.（quelqu'un の略で「人」「動物」を示す）
qch.（quelque chose の略で「物」「無生物」であることを示す）
inf.（不定詞を表す．動詞の原形のこと）
【やや難】【難問】（問題のなかでも難しい出題を示す）
★（設問のなかでも歯ごたえのあるものを示す）

　なお，本書と連動する『《データ本位》でる順仏検単語集』に載っていない単語はイタリック（例：*un chemisier*）で示した．

適語を選びなさい．

(001) 動物に魂はあるのだろうか．
Est-ce que les animaux ont (1. **une âme** 2. **un corps**) ?

(002) 宿題しなかったの？　先生に叱られるよ．
Tu n'as pas fait tes devoirs ? Le prof va (1. **t'adorer** 2. **te gronder**).

(003) 犬が車に閉じ込められた！　誰か助けて！
Mon chien s'est enfermé dans la voiture ! Au (1. **feu** 2. **secours** 3. **voleur**) !

(004) 礼儀正しくいい子にしていたら，お菓子をあげるよ．
Si tu es (1. **méchant** 2. **poli**) et gentil, je te donnerai un petit gâteau.

2つの文章がほぼ同じ意味（含意）になるようにするのに適当なのは1．2．いずれの語か答えなさい．

(005)
Qu'est-ce que tu veux faire pour ton anniversaire ?
= Comment tu veux (1. **attendre** 2. **fêter**) ton anniversaire ?

(006)
Il est très en colère que tu arrives en retard.
= Il est (1. **désolé** 2. **furieux**) que tu arrives en retard.

(001) Est-ce que les animaux ont une âme ?
　　　▶ 正解は 1 の une âme「魂，心」．類義語には un cœur「心，心臓」，男性名詞の l'esprit「精神，知性」などがある．de toute son âme「全力を尽くして，全力で」といった熟語でも使われる．2 の un corps「体，身体」は反対語．

(002) Tu n'as pas fait tes devoirs ? Le prof va te gronder.
　　　▶ 正解は 2．gronder は「叱る」という動詞．gronder はもともとは「うなる」という意味，un grondement「うなり声，（雷などの）とどろき」を記憶しておくとよい．選択肢 1 の adorer は「熱愛する，崇拝する」．なお，prof は professeur の略語．

(003) Mon chien s'est enfermé dans la voiture ! Au secours !
　　　▶ 正解は 2. secours「救助」．Au secours !「助けて！」は決まり文句．選択肢，Au feu ! なら「火事だ！」，Au voleur ! は「泥棒！」の意味．なお，la sortie de secours「非常口」も覚えておきたい単語だ．

(004) Si tu es poli et gentil, je te donnerai un petit gâteau.
　　　▶ 正解は 2. poli(e) は「礼儀正しい」という形容詞．être poli(e) avec qn. で「～に対して礼儀正しい」の意味．poli は英語の polite と似ているので意味も綴りも覚えやすいはず．名詞「礼儀，礼儀正しさ」は la politesse，副詞は poliment で「礼儀正しく，丁寧に」．選択肢 1 の méchant(e) は「意地悪な」．

(005) Comment tu veux fêter ton anniversaire ?
　　　▶ 上下共に「誕生日はどうやってお祝いしたい？」とたずねる文に．適当なのは 2. fêter「祝う」．une fête「お祭り，パーティー」という名詞を知っていれば容易に推測できる．attendre は「待つ」，この空欄には入らない．なお，se faire attendre「待たせる，遅刻する」は頻度の高い言いまわし．

(006) Il est furieux que tu arrives en retard.
　　　▶「君が遅れてきて彼はとても怒っている」．正解は 2. furieux(se)「激怒している」．en colère より怒りの度数が高い状態を表す．ちなみに上級レベルの語だが，さらにその度数が強まると enragé(e)「いきり立った」となる．もう一方の選択肢 désolé(e) は「申しわけない，残念だ」．

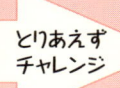

適語を選びなさい．

(007) 我々はにわか雨にあった．
Une (1. **averse** 2. **tempête**) nous a surpris.

(008) 町全体がストライキ中だった．
Toute la ville était en (1. **flamme** 2. **grève**).

(009) 郵便配達の人は今朝来てくれた．小包を受け取ったよ．
Le facteur est passé ce matin. J'ai reçu un (1. **colis** 2. **collier**).

２つの文章がほぼ同じ意味（含意）になるようにするのに適当なのは 1．2．いずれの語か答えなさい．

★(010)
Il fait du judo depuis deux ans.
= Il (1. **joue** 2. **pratique**) le judo depuis deux ans.

(011)
Tu fais la différence entre ces couleurs ?
= Tu (1. **détruis** 2. **distingues**) la différence entre ces couleurs ?

２つの文章がおおむね反対の意味になるようにするのに適当なのは 1．2．いずれの語か答えなさい．

(012)
Tes lunettes te vont très bien.
↔ Tu portes des lunettes (1. **intellectuelles** 2. **ridicules**).

(007) Une averse nous a surpris.
　▶「にわか雨」は 1 の une averse. *un orage*「雷を伴う激しいにわか雨」に近い語だが，2 の *une tempête*「嵐」とは区別すること．動詞 surprendre は「(人を) 不意に襲う，見舞う」という意味．したがって être surpris(e) par une averse とすれば「(人が) にわか雨にあう」という言いまわし．

(008) Toute la ville était en grève.
　▶2 の une grève が「ストライキ」という単語．フランスでは「スト」が多く頻度が高い．être en grève「ストライキ中だ」という形で覚えよう．ほかに *une manifestation*「デモ (行進)」もフランスでは盛んだ．1 の選択肢を使って en *flamme* とすると「炎に包まれて」という意味 (例：La maison était en *flamme*.「家が炎に包まれていた」)．

(009) Le facteur est passé ce matin. J'ai reçu un colis.
　▶「郵便屋さんが今朝来た」(主語の facteur (trice) は英語の *postman* に相当する語)．この文の流れで「私は小包を受けとった」としたい．1 の un colis「小包」が入る．recevoir un colis で「小包を受けとる」．これを Le facteur m'a remis un colis. とすれば「郵便屋さんが私に小包を手渡した」となる．選択肢 2 の *un collier* は colis と綴りが似ているが「ネックレス」のこと．

(010) Il pratique le judo depuis deux ans.
　▶「彼は 2 年前から柔道をやっている」．faire du judo = pratiquer le judo で正解は 2 になる．pratiquer は「実践する」という意味で，スポーツを目的語にして使える．jouer も「スポーツをする」という意味で用いるが (例：jouer au tennis「テニスをする」)，jouer を用いるスポーツは原則的に"球技"に限られる．

(011) Tu distingues la différence entre ces couleurs ?
　▶「君はこれらの色の区別がつく？」の意味．「(A と B を) 区別する」は faire la différence (entre A et B) = distinguer (A de B) と表現する．正解は 2 の distingues．détruis は *détruire*「壊す」の直説法現在の活用形．

(012) Tu portes des lunettes ridicules.
　▶「君のめがねは (君に) とてもよく似合う」(aller bien「(à *qn.* に) 似合う」という定番の言いまわし) を「君は変なめがねをかけている」に．正解は 1．ridicule は「滑稽な」という形容詞．話し言葉に *rigolo*(te) という類義語がある．もう一方の *intellectuel*(le) は「知的な」の意味．

２つの文章がおおむね反対の意味になるようにするのに適当なのは 1. 2. いずれの語か答えなさい．

(013)
Il n'y a presque personne devant ce magasin.
↔ Il y a (1. **un client**　2. **une foule**) devant ce magasin.

(014)　＊下の文は「プレゼントに最適だ」としたい．主語が物である点にも目を向けたい．
Tes amis ne seront pas contents si tu leur offres ce chocolat.
↔ Ce chocolat est (1. **idéal**　2. **satisfait**) comme cadeau pour tes amis.

(015)
Tu ne dois pas lire ce roman. Ce n'est pas intéressant.
↔ Ce roman (1. **médite**　2. **mérite**) lecture.

(016)
Ce DVD coûte plus que 10 euros.
↔ Le prix de ce DVD est (1. **inférieur**　2. **supérieur**) à 10 euros.

(013) Il y a **une foule** devant ce magasin.
> 「店の前にはほとんど人がいない」↔「人だかりがしている」という対照的な文章に．正解は **2. une foule**「群衆」となる．〈**une foule de**＋無冠詞複数名詞〉の形で使うと「たくさんの〜」という熟語になる．また冠詞を省いて **Il y a foule.** とすると「すごい人出だ」という意味になる．選択肢 1 の **un client (une cliente)** は「ひとりの客，(弁護士などの) 依頼人」のこと．

(014) Ce chocolat est **idéal** comme cadeau pour tes amis.
> 「そのチョコを送っても友達は喜ばないだろう」↔「このチョコは友達へのプレゼントに最適だ」とする．正解は **idéal(ale)**「理想的な，申し分のない」で，**parfait(e)** が類義語．**un idéal** なら「理想」という名詞．もう一方の選択肢 *satisfait(e)* は前章の 140 でも触れたが「(人が **de** に) 満足している」という意味なので使えない．**idéal** は女性名詞の **l'idée**「観念」から来ている．

(015) Ce roman **mérite** lecture.
> 「この本は読んじゃいけない．面白くない」↔「この小説は読むに値する」とする．正解は **mériter** *qch.*「(主語が)〜に値する」を用いた 2．選択肢 1 は *méditer*「熟考する」．なお，例文は〈**mériter**＋無冠詞名詞〉の形をとっているが（例：mériter réflexion「考えてみる価値はある，一考に値する」），**Ce roman mérite une lecture.** と冠詞を添えてもよいし，不定法の受け身「読まれる」**être lu** を用いて **Ce roman mérite d'être lu.**「一読に値する」とも表現できる．

(016) Le prix de ce DVD est **inférieur** à 10 euros.
> 「値段が〜である」**coûter** という動詞を用いた上の文章「この DVD は10ユーロ以上する」を「この DVD の値段は10ユーロより下だ」と反対の意味にしたいので **être inférieur(e) à** *qn. / qch.*「〜より下である，低い，劣る」となる 1 が答え．選択肢 2 の **supérieur(e)** は「〜より上である，優る」の意味．

仏検準2級レベル **第4回** 思いっきり力試し

データ本位対応 ▶ PP.219-225

🌏8 空欄に適語を入れなさい（前頁の復習を含む）．

★(017) このパーティーは500人の客を招待している．
＊「500人の招待客を迎える」が直訳．
Cette soirée **ac**＿＿＿＿＿ 500 invités.

(018) 彼は今日の午後テレビを買った．明日の午前中に配達される．
Il a acheté une télé cet après-midi. On lui **li**＿＿＿＿＿ la télé demain matin.

(019) 私は自宅で働いている（内職している）．
Je travaille à **domi**＿＿＿＿＿．

(020) クリステルは顔色がよい．
Christelle a bonne **mi**＿＿＿＿＿．

★(021) 風は激しく，海は猛っている．
Le vent est violent, la mer est **fu**＿＿＿＿＿．

(022) これらの島はヴァカンスに最適な場所だ．
Ces îles sont des endroits **id**＿＿＿＿＿ pour les vacances.

★(023) 彼はとうとう得るべき成功を手に入れた．
＊過去分詞派生の形容詞を入れる．
Il a enfin obtenu un succès **mé**＿＿＿＿＿．

(024) 研修期間は3ヶ月以内だろう．
Le stage aura une durée **infé**＿＿＿＿＿ à trois mois.

(025) いかなる努力も無意味ではない．
Aucun effort n'est **inu**＿＿＿＿＿．

(026) 生徒たちはその有名な歌を合唱した．
Les élèves ont chanté en **ch**＿＿＿＿＿ cette fameuse chanson.

58 フランス語単語の力を本当につけられるのはコレだ！《応用編》

(017) Cette soirée accueille 500 invités.　●la soirée は「(夜に催される) パーティー」のこと．invité(e) は動詞 inviter から派生した名詞で「招待客」．正解は accueillir「迎える，もてなす」の活用形（活用は ouvrir 型）が入る．

(018) Il a acheté une télé cet après-midi. On lui livre la télé demain matin.
●livrer「配達する」の直説法現在 3 人称単数の活用形が入る．un livre「本」と見間違えないように！

(019) Je travaille à domicile.　●la maison と類語の le domicile「自宅」が入る．à domicile で「自宅で」という熟語．une livraison à domicile は「宅配」．

(020) Christelle a bonne mine.　●avoir bonne mine「顔色がよい」という熟語（上記の à domicile もそうだが成句表現は多く冠詞が省略される）になっている．faire la mine「ふくれっ面をする」という表現もある．

(021) Le vent est violent, la mer est furieuse.　●violent(e)「激しい，乱暴な」を受けて，類語の形容詞 furieux(se)「激怒している，激しい，猛烈な」の女性形を空所に入れる．avec fureur は「激しく，猛烈に」という副詞句．

(022) Ces îles sont des endroits idéaux pour les vacances.　●正解は idéaux，これは idéal(ale)「理想的な」の男性複数形．une île「島」は英語の island に相当．

(023) Il a enfin obtenu un succès mérité.　●形容詞の mérité(e) が入る．mériter から派生した過去分詞で「当然な，受けるに値する」という形容詞になる．un succès mérité で「得られて当然の成功，努力の末の成功」となる．

(024) Le stage aura une durée inférieure à trois mois.　●正解は inférieure．inférieur(e) à qn. / qch. は「〜の下の」だが，"期間が短い" "品質が劣る" など幅広い意味での「下の」を指す．

(025) Aucun effort n'est inutile.　●utile「役に立つ」の反対語，inutile「無益な，無駄な」と入る．口語の C'est inutile de inf.「〜しても無駄だ」は頻度が高い．なお，aucun... ne (ne... aucun) は「いかなる〜もない」という大事な否定表現．

(026) Les élèves ont chanté en chœur cette fameuse chanson.　●「合唱団，合唱曲」chœur を入れる．「コーラス」（英語の chorus）という語義で記憶！　発音は［クール］．ch を [ʃ] ではなく [k] の音で読む珍しい語．chanter en chœur で「声を合わせて歌う」の意味．形容詞 fameux(se) は「有名な」．

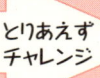

適語を選びなさい．

(027) 霧が出ているから運転したくありません．
Comme il y a (1. **du brouillard** 2. de la pluie 3. du vent), je ne veux pas conduire.

(028) 8月に補習を受けました．
J'ai eu des cours (1. **supplémentaires** 2. supportables) en août.

(029) 歴史は人文科学です．
L'Histoire est une science (1. **humaine** 2. naturelle).

2つの文章がほぼ同じ意味（含意）になるようにするのに適当なのは 1. 2. あるいは 3. のいずれの語か答えなさい．

(030) ＊これ非人称構文．
Il est arrivé un accident devant le public.
= Il est arrivé un accident en (1. faveur 2. **présence** 3. raison) du public.

(031)
Frédéric est chômeur en ce moment.
= Frédéric est au (1. **chômage** 2. courant).

2つの文章がおおむね反対の意味になるようにするのに適当なのは 1. 2. いずれの語か答えなさい．

(032)
J'ai acheté un livre mince.
↔ J'ai acheté un livre (1. **épais** 2. lourd).

(027) Comme il y a du brouillard, je ne veux pas conduire.
  ▶ 「霧」は le brouillard. Il y a du brouillard. で「霧がかかっている」．選択肢 2, 3 は順に「雨」と「風」のことで，おなじく Il y a の構文で「雨が降っている（= Il pleut）」，「風が吹いている」という文になる．なお，日本語に「五里霧中」という語があるように，フランス語でも être dans le brouillard で「何がなんだかわからない」という熟語になる．

(028) J'ai eu des cours supplémentaires en août.
  ▶ avoir un cours [des cours]「授業がある」に形容詞の 1 を添える．supplémentaire は「追加の，補足の」という意味．サプリメント（補助食品）という語から覚えるとよい．動詞 *supplémenter*「追加する」，名詞 un supplément「追加」がある．選択肢 2 の *supportable* は「耐えられる」という語．

(029) L'Histoire est une science humaine.
  ▶「歴史は人文科学です」．正解は形容詞 humain(e)「人間の」の女性形．une science humaine で「人文科学」，選択肢 2 を使って une science naturelle とすると，数学や物理などの「自然科学」を指す．

(030) Il est arrivé un accident en présence du public.
  ▶「公衆の目の前で事故が起きた」と訳せる非人称の文章．正解は 2 の présence「存在」を使った熟語．devant「〜の前に」という前置詞に対応して en présence de *qn. / qch.*「〜の面前で，〜に直面して」という前置詞句を作っている．選択肢 1 を用いた en faveur de *qn.* は「〜に有利になるように」，en faveur de *qch.* なら「〜に賛成して」，3 を使った en raison de *qch.* は「〜という理由で，〜に応じて」の意味．

(031) Frédéric est au chômage.
  ▶「フレデリックは現在失業中だ」とする．un chômeur, une chômeuse は「失業者」の意味，派生語となる 1 の le chômage「失業」を選ぶ．être au chômage「失業中である」の形でよく使われる（自動詞 chômer「失業する」という語もある）．2 の être au courant は「事情に通じている」という熟語．

(032) J'ai acheté un livre épais.
  ▶「薄い本を買った」を「分厚い本」とする．mince「薄い」に対応するので，正解は 1 の épais(se) で「厚い」の意味．選択肢 2 の lourd(e) は「重い」（反対語は léger(ère)「軽い」）．épais の名詞は une épaisseur「厚み」，lourd の名詞形は une lourdeur「重さ」となる．

仏検準2級レベル 第6回 とりあえずチャレンジ

データ本位対応 ▶ PP.229-231

適語を選びなさい.

(033) 郊外に住むのは危険だ.
Il est dangereux d'habiter (1. en banlieue 2. à la campagne).

(034) 正確な言葉が見つからないなら，身振りで説明してよ.
Si tu ne trouves pas de mot juste, explique-moi par (1. des gestes 2. pitié).

(035) レアはもうここに住んでいない．先月引っ越した.
Léa n'habite plus ici. Elle a (1. déménagé 2. ménagé) le mois dernier.

2つの文章がほぼ同じ意味（含意）になるようにするのに適当なのは 1. 2. いずれの語か答えなさい.

(036)
Les professeurs sont en réunion.
= Les professeurs sont en (1. conférence 2. cours).

(037) *clientèle は「顧客」のこと.
Il veut que sa clientèle soit satisfaite.
= Il veut (1. consentir 2. contenter) sa clientèle.

2つの文章がほぼ反対の意味になるようにするのに適当なのは 1. 2. 3. いずれの語か答えなさい.

(038)
Il est courageux. Il n'a peur de rien.
↔ Il est (1. bavard 2. gai 3. timide). Il a peur de tout.

(033) Il est dangereux d'habiter en banlieue.
- il est dangereux de *inf.* で「~するのは危険だ」の構文に **habiter en banlieue**「郊外に住む」を入れる．都市の周辺地域を指す．2の à la campagne は「田舎で」の意味．なお，la banlieue は特にパリ郊外を指して使うことが多い．

(034) Si tu ne trouves pas de mot juste, explique-moi par des gestes.
- 正解は1の **des gestes**「身振り，しぐさ」は，英語の *gesture* のこと．**s'expliquer par gestes** で「身振りで表現する」という意味．選択肢2の *la pitié* は「哀れみ」で，**par pitié** という熟語にすると「哀れんで，（後生だから）お願いだから」となる．むろん，例文に合わない．

(035) Léa n'habite plus ici. Elle a déménagé le mois dernier.
- 正解は1の **déménagé**，déménager「引っ越す」の過去分詞．選択肢2の他動詞 **ménager** は「設置する，（人を）いたわる，（金・時間を）惜しむ」．ちなみに déménager は "dé-(離して)＋ménager（設置する)" の意味から．

(036) Les professeurs sont en conférence.
- 「教師たちは会議中だ」としたい．être en réunion「会議中である」と同義になる être en conférence を選ぶ．選択肢2の en cours は「進行中の」の意味（例：La réunion est en cours.「会議（集会）が開催中である」）．なお，une réunion に比べて，une conférence は比較的規模の大きい会議も含まれる．

(037) Il veut contenter sa clientèle.
- 「彼は顧客が満足してくれるよう望んでいる」を「顧客を満足させたがっている」とする．2の **contenter**「満足させる」を選ぶ．この動詞は Je suis content(e).「私は満足だ」の形容詞 content から覚えられる．選択肢1は *consentir*「同意する」という意味．*clientèle* は英語の *customers* のことで，「（集合的に）客，顧客」を指す．

(038) Il est très timide. Il a peur de tout.
- 「彼は勇敢だ，何も恐れない」．courageux(se) は「勇敢な，元気な」という形容詞．反対語は「内気な，臆病な，おずおずした」となる 3 の **timide** を入れ「彼は臆病だ．何でも恐がる」とする．選択肢2の gai(e)「陽気な」は ouvert(e)「（性格が）開放的な」の類語．1の *bavard(e)* は「おしゃべりな」という形容詞，*bavarder* は自動詞で「おしゃべりする」の意味．

仏検準2級レベル 第7回 おまけのチャレンジ

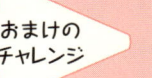

データ本位対応 ▶ PP.226 - 228

2つの文章がほぼ反対の意味になるようにするのに適当なのは 1. 2. いずれの語か答えなさい.

★(039)
Je n'ai pas envie d'aller avec toi.
↔ Ça me (1. **gêne** 2. **tente**) d'aller avec toi.

(040)
J'ai dit la vérité.
↔ J'ai dit (1. **un mensonge** 2. **mon avis**).

和訳に合うように並べ替えなさい.

(041) この学校は1917年に設立された.
Cette école (**fondée**, **été**, **en**, **a**) 1917.

(042) コーヒーでも紅茶でもお好きな方をどうぞ.
Vous (**le**, **entre**, **choix**, **avez**) du café et du thé.

(039) Ça me tente d'aller avec toi.
- 「君と一緒に行きたくない」を「行きたい気がする」としたい．正解は tenter「試みる」を活用した 2. tenter には「誘惑する，気をそそる」という意味もあり Ça me tente de *inf.* の形で「(それは私を誘惑する→) ～したい」という使い方をする．否定文で Ça ne me tente pas. なら「それは気がすすまない」となる．名詞 la tentation は「(de を) したい気持，誘惑」を意味する語．選択肢 1 の gêner を入れて Ça me gêne de *inf.* とすると「～はしたくない気がする」という言いまわしになる．

(040) J'ai dit un mensonge.
- 「私は本当のことを言った」↔「嘘をついた」とする．dire un mensonge「嘘をつく」(= mentir) を入れたい．mentir を用いて，J'ai menti. とも言える．したがって，答えは 1 だ．選択肢 2 を入れて dire son avis の形にすると「(自分の) 意見を言う」という意味になる．

(041) Cette école a été fondée en 1917.
- fonder は「設立する」の受動態 est fondé(e)「設立される」が，avoir été fondé(e)「設立された」という複合過去になっている．fonder の派生語である la fondation は「創設，建設」，fondateur(trice) は「創設者，創立者」の意味．en は年号の前に添えて「～年に」の意味になる．

(042) Vous avez le choix entre du café et du thé.
- 「選ぶ」choisir から派生した名詞 le choix は「選択」で，avoir le choix entre A et B とすれば「A か B かの選択権を持つ，選択の自由がある」という成句になる．au choix「お好みで」(例：le dessert au choix「お好みのデザート」) あるいは de choix「えり抜きの」などの熟語もある．蛇足ながら，"お好み"焼き」には choix という名詞は使われない．形状に則して une *pizza* japonaise (→日本のピザ) と言い表す．

仏検準2級レベル 第8回 思いっきり力試し

データ本位対応 ▶ PP.226-231

9 空欄に適語を入れなさい（前頁の復習を含む）.

(043) 人間はみな同等の権利を持っている.
Tous les êtres hu　　　　 ont les mêmes droits.

(044) 君の作るクレープはおいしくない．分厚すぎる.
Tes crêpes ne sont pas bonnes. Elles sont trop ép　　　　．

(045) ルイは息をするように嘘をつく.
Louis m　　　　 comme il respire.

(046) 彼女は身振りを入れて話をする.
Elle fait des ge　　　　 en parlant.

(047) このセットにはお好みのドリンクが付いています.
Ce menu comprend une boisson au ch　　　　．

(048) あなたがいてくれてとても嬉しいです.
Votre pré　　　　 me fait un grand plaisir.

(049) 少し食べるだけで満足している.
Je me con　　　　 de manger un peu.

(050) この都市の安全対策を向上させなくてはならない.
On doit améliorer la sé　　　　 dans cette ville.

(051) 旅費を支払うのは父だ.
C'est mon père qui paie nos fr　　　　 de voyage.

(052) ライオンは牛をまるごと1頭食べた.
Le lion a mangé un bœuf tout en　　　　．

(043) Tous les êtres humains ont les mêmes droits. ○正解は humains と入る. les êtres humains で「(全ての) 人間」という複数形の表現に. Tous les hommes ont... と言っても同意だが, les hommes は「男性」という語義もあるため, les êtres humains を使う方が意味のブレがない表現になる.

(044) Tes crêpes ne sont pas bonnes. Elles sont trop épaisses. ○正解は épaisses. épais(se) を elles = les crêpes「クレープ」に合わせて性数変化させること. trop épaisses の読みはリエゾンすれば［トロペペッス］となるが, CD ではリエゾンを避けた.

(045) Louis ment comme il respire. ○mentir「嘘をつく」を活用させた ment が入る. respirer「呼吸する」が使われた例文は「彼はまるで息をするように嘘をつく」が直訳で,「平気で (しょっちゅう) 嘘をつく」ということ.

(046) Elle fait des gestes en parlant. ○英語の *gesture* に相当する仏語 un geste「身振り, ジェスチャー」の複数形が入る. faire des gestes en parlant で「話しながらジェスチャーをする」が直訳. なお, un geste には「行い, 行為」の意味もある (例：avoir le geste *noble*「物腰が上品である」).

(047) Ce menu comprend une boisson au choix. ○choix「選択, 選択肢」が入る. 〈名詞＋au choix〉で「お好みの〜」となる. comprendre が「理解する」ではなく「含む」という意味で使われている.

(048) Votre présence me fait un grand plaisir. ○空欄には présence と入る. la présence は「存在」という語義なので, 直訳は「あなたの存在が私に大きな喜びを作ってくれる」となる. faire plaisir à *qn*. で「〜を喜ばせる」という大事な言いまわし.

(049) Je me contente de manger un peu. ○contenter「満足させる」の代名動詞を用い, se contenter de *inf.*「〜することで満足する, 我慢する」とした例.

(050) On doit améliorer la sécurité dans cette ville. ○la sécurité で「安全 (対策), 保障」, être en sécurité で「安全である」, de sécurité なら「安全のための」. *améliorer* は「改良 (改善) する」.

(051) C'est mon père qui paie nos frais de voyage. ○frais「費用」が入る. les frais de logement「住居費」, les frais d'éducation「教育費」も覚えておきたい.

(052) Le lion a mangé un bœuf tout entier. ○形容詞 entier(ière)「全体の」の男性形単数が入る. tout entier, toute entière「まるごと全部」という使い方をすることが多い.

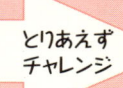

適語を選びなさい．

(053) 湖の近くに位置するホテルに滞在している．
On séjourne dans un hôtel (1. abandonné 2. situé) près du lac.

(054) このサービスはドライバー向けです．
Ce service est pour les (1. automobilistes 2. cyclistes 3. piétons).

(055) 席をこちらの女性に譲ってください．
(1. Cédez 2. Cessez) votre place à cette femme.

(056) 壁にポスターを貼っていいですか？
On peut coller une (1. affaire 2. affiche) sur le mur ?

(057) 風は大切なエネルギー資源だ．
Le vent est une (1. sauce 2. source) d'énergie importante.

２つの文章がほぼ同じ意味（含意）になるようにするのに適当なのは 1．2．いずれの語か答えなさい．

(058) ＊se montrer は「～の様子［態度］を示す」の意味．
Elle se montrait modeste.
＝ Elle avait une (1. attitude 2. montre) modeste.

(053) On séjourne dans un hôtel situé près du lac.
　▶正解は 2 の situé. situer「(その位置に) 置く」の過去分詞からできた形容詞で，ここでは「(町や建物が) 位置している」という意味. 上の文は On séjourne dans un hôtel qui se situe près du lac. と代名動詞を用いても同じ意味になる. 選択肢 1 は abandonner「捨てる，(人を) 見捨てる」の過去分詞.「湖のそばに捨てられたホテル」となり，文意にあわない.

(054) Ce service est pour les automobilistes.
　▶正解は 1 の les automobilistes「ドライバー」. "automobile (自動車) ＋iste (人)" で自動車のドライバーという意味になる. ただし，タクシーやバスなどの職業としての「運転手」は chauffeur (女性も同形) と言う. 選択肢 2 の les cyclistes は「自転車に乗る人」で，3 の les piétons は「歩行者」

(055) Cédez votre place à cette femme.
　▶正解は 1 の Cédez で，céder「譲る」の vous に対する命令法. céder sa place à qn.「〜に席を譲る」という定型の言い方を用いた例. 選択肢 2 の cesser は「止める」の意味.

(056) On peut coller une affiche sur le mur ?
　▶une affiche「ポスター，ビラ」が答え. 動詞 afficher「(ポスターなどで) 掲示する，広告する」もある (例：« Défense d'afficher »「張り紙禁止」). 選択肢 1 の une affaire は「事件, 出来事」. 壁には貼れない. なお coller は une colle「糊」から派生した動詞で「(糊で) 貼る」. 反対語は他動詞の décoller で「はがす」(例：décoller un timbre「切手をはがす」).

(057) Le vent est une source d'énergie importante.
　▶正解は 2 の une source「発生源，源」. une source d'énergie「エネルギー源」だけでなく，比喩的に la source de tous les maux「諸悪の根源」といった用法もある. 1 の sauce は料理にかける「ソース」のことだが，会話表現では「にわか雨」(例：recevoir la sauce「にわか雨にあう」) の意味でも用いられる語.

(058) Elle avait une attitude modeste.
　▶〈se montrer＋形容詞〉で「〜の態度 (様子) を示す」の意味. modeste は「謙虚な，控えめな」. したがって和訳をすると「彼女はつつましい態度をとっていた」となる. 選ぶのは 1 の une attitude「態度」. もちろん，une montre「腕時計」は無関係.

適語を選びなさい．

(059) 税についての討論が続いている．
(1. **La loi** 2. **Le débat**) sur la taxe continue.

★(060) 私のアパルトマンは３部屋から成る．
Mon appartement (1. **compose** 2. **consiste**) en trois pièces.

２つの文章がほぼ同じ意味（含意）になるようにするのに適当なのは 1．2．あるいは 3．のいずれの語か答えなさい．

(061)
Peut-on compter sur un amour éternel ?
＝ Peut-on compter sur un amour (1. **permanent** 2. **provisoire**) ?

(062)
Je n'aime pas cette sorte de film.
＝ Je n'aime pas (1. **ce genre** 2. **ce réalisateur** 3. **cette scène**) de film.

２つの文章がおおむね反対の意味になるようにするのに適当なのは 1．2．いずれの語か答えなさい．

(063)
Moi, je me comporterais de la même façon.
↔ Moi, je me comporterais (1. **autrement** 2. **discrètement**).

(064)
Je me sens bien avec lui.
↔ Je suis mal (1. **à l'aise** 2. **à vivre**) avec lui.

(059) Le débat sur la taxe continue.
　　▶2 が入る．きちんと準備のなされた「討論，論議」という語で，公の場で異なる意見を活発に言いあう事．類義語に広く用いられる une discussion があるが，これは必ずしも意見が対立するとは限らない「議論，討議」のことで「口論」などの意味も含む．選択肢1の la loi は「法律」．

(060) Mon appartement consiste en trois pièces.
　　▶正解は consiste．consister en qch. で「〜から成る，構成される」という表現にする．選択肢1の composer も「構成する，組み立てる」の意味だが，代名動詞 se composer de qn. / qch. または受身 être composé(e) de qn. / qch. としないと「〜から成る，できている」は言い表せない．

(061) Peut-on compter sur un amour permanent ?
　　▶compter sur qn. / qch.「〜を当てにする」を用いた例文は「変わらぬ愛を期待することができるだろうか？」という意味．éternel(le)「永遠の」の類義語 permanent(e)「恒久的な，連続的な」が答え．別例，une ouverture permanente で「(絶えず開いている→) 毎日営業」のようにも使う．選択肢2の provisoire は少々レベルが高い語で，「一時的な，つかの間の」を意味する．たとえば le bonheur provisoire で「つかの間の幸福」．

(062) Je n'aime pas ce genre de film.
　　▶「私はこの種の映画が嫌いだ」．〈cette sorte de＋無冠詞名詞〉「この種類の〜」の同義表現〈ce genre de＋無冠詞名詞〉とする．2の un réalisateur は「映画監督」，3の une scène は「シーン」という意味．なお，le genre には「種類，タイプ，ジャンル」のほか「態度，物腰，(文法の) 性」といった多くの語義がある．

(063) Moi, je me comporterais autrement.
　　▶se comporter は「振る舞う，行動する」の意味．例文は「私なら同じように振る舞う」↔「別な風に振る舞う」と対照的な文意にしたい．正解は autrement「ほかのやり方で」(= d'une autre façon)．選択肢2の discrètement は「慎ましく，こっそりと」．discret(ète)「控えめな」の派生語．

(064) Je suis mal à l'aise avec lui.
　　▶「彼といると居心地がよい」↔「気まずい」という文に．正解は1の成句．女性名詞 aise は「気楽さ，くつろぎ」(英語の ease に当たる) で，à l'aise, à son aise と熟語化して「楽に，気楽に」，それに副詞を添えて bien à l'aise / mal à l'aise「居心地がよい／悪い」と用いる．選択肢2を avoir du mal à vivre avec qn. とすれば「〜と一緒に暮らしにくい」の意味．

2つの文章がほぼ同じ意味（含意）になるようにするのに適当なのは 1. 2. いずれの語か答えなさい．

(065)
Le problème nous semble très facile.
= Le problème est très facile en (1. apparence 2. dehors).

2つの文章がおおむね反対の意味になるようにするのに適当なのは 1. 2. 3. のいずれの語か答えなさい．

★(066) ＊avoir l'esprit lourd は「頭が鈍い」という意味．
Il a l'esprit lourd.
↔ Il a l'esprit (1. généreux 2. lent 3. vif).

和訳に合うように並べ替えなさい．

(067) きれいな花火が空を照らした．
Le (artifice, d', beau, feu) a illuminé le ciel.

★(068) どうすれば2階に行けますか？
＊「2階へはどうやって到達できますか？」が直訳．
Comment puis-je (l'étage, accès, à, avoir) ?

(065) Le problème est très facile en apparence.
　▶「その問題はわれわれにはとても簡単に見える」を「見た目にはとても簡単だ」と展開する. une apparence「外見, 外観」を用いた 1 が入り, en apparence「見たところ, うわべでは」(＝apparemment) という熟語になる. 動詞 apparaître「現れる, 明らかになる」から派生. 選択肢 2 の en dehors は「外に」(反対語：en dedans「中に」) という意味.

(066) Il a l'esprit vif.
　▶この例文に使われている形容詞 lourd(e) は「重い」ではなく「(頭の働きが)鈍い」というニュアンス. したがって「彼は頭が鈍い」↔「頭が鋭い」という対の文にしたい. 正解は 3 の vif「生き生きした, 活発な」(女性形は vive と綴る). un esprit は「知性, 精神」という名詞で, un esprit vif とすると「鋭い知性」となる. ほかの選択肢を使った un esprit généreux なら「寛大な精神」, un esprit lent とした際の lent(e) は「(頭の働きが) のろい」の意味で, avoir l'esprit lent とすると「頭の回転がのろい」ということ. つまり, avoir l'esprit lourd とほぼ同意になる. 解答にはならない.

(067) Le beau feu d'artifice a illuminé le ciel.
　▶artifice は「策略, 計略, 技巧」という言葉だが, feu d'artifice「(策を弄した火→) 花火」という使い方で頻度が高い. 解答はこれに beau をつけるだけ. なお, 他動詞 illuminer は少々レベルの高い語だが, 名詞 une illumination「イリュミネーション」から「明るく照らす」の訳語は比較的イメージしやすい.

(068) Comment puis-je avoir accès à l'étage ?
　▶un accès は「(場所への) 接近, 通路, 入口」あるいは「発作」を意味する語.〈avoir accès à＋場所〉とすると「～に近づける, ～に到達できる」という熟語になる. なお un étage は「(建物の) 階」を意味する語だが, à l'étage の形で「2階に (で), 上に」の意味で使われる (例：Ma chambre est à l'étage.「私の寝室は上です」).

◎10 空欄に適語を入れなさい（前頁の復習を含む）.

★(069) 彼は何も後悔していなかった．言い換えるなら，彼は全力をつくしたのだ．
Il n'avait aucun regret. Autre___ dit, il a fait de son mieux.

(070) 彼はタバコを吸う誘惑に決して屈しない．
Il ne cè___ jamais à la tentation de fumer.

(071) 彼の奥さんは鮮やかな色のドレスを着ていた．
Sa femme portait une robe de couleur vi___.

(072) われわれの目的は戦争を終わらせることにある．
Notre but con___ à mettre fin à la guerre.

★(073) ナタンは品が悪い．
Nathan a un mauvais gen___.

(074) 思いやりがあなたの不幸の原因になることもある．
La grâce peut devenir la sou___ de votre malheur.

(075) 君と話しているときはとても心地いい．
Je suis bien à l' ai___ quand je parle avec toi.

(076) この地方にはすばらしい景色がある．
Cette région a des pay___ charmants.

(077) 学位を取るには何が必要だろうか？
Qu'est-ce qu'il faut pour obtenir le dip___ d'études ?

(078) あなたの質問にお答えするためお手紙を書いています．
Je vous écris af___ de répondre à vos questions.

(069) Il n'avait aucun regret. Autrement dit, il a fait de son mieux. ❍autrement 「他のやり方で，さもなければ」を入れる．この副詞は，autrement dit 「言い換えると」という成句表現の頻度が高い．同じ意味の熟語 en d'autres *termes*「別の言葉では」も重要．なお，de mon mieux で「私のできる限り，最善を尽くして」の意味．頻度の高い言いまわしだ．

(070) Il ne cède jamais à la tentation de fumer. ❍cède と入る．この céder は他動詞の「譲る」ではなく，céder à *qn. / qch.*「～に屈する，負ける」という表現．*s'abandonner* à…, *se soumettre* à… と類似表現になる．

(071) Sa femme portait une robe de couleur vive. ❍vive は形容詞 vif の女性形単数．vif「生き生きした」は，色や光の鮮烈さを指して「鮮やかな」という意味にもなる．

(072) Notre but consiste à mettre fin à la guerre. ❍正解は consister の直説法3人称単数の活用 consiste．A consister à *inf.*(B) で「A（＝行為の内容は）～すること（B）にある」という構成．Notre but est de mettre fin à la guerre. とも言い換えられる．mettre fin à *qch.* は「～を終わらせる」という熟語．

(073) Nathan a un mauvais genre. ❍この genre は「物腰，態度，品」という意味．avoir un drôle de genre でも同意．

(074) La grâce peut devenir la source de votre malheur. ❍source が「原因」という意味で使われている例．この意味では，*une origine*「起源」を使って *l'origine* de votre malheur と言っても同じになる．

(075) Je suis bien à l'aise quand je parle avec toi. ❍être bien à l'aise とすると「居心地がいい」となる．l'aise は bien がなくても良い意味で使われる語．Soyez à l'aise.「くつろいでください」といった表現も覚えておきたい．

(076) Cette région a des paysages charmants. ❍un paysage「風景，景色」．なお，環境問題にうるさい昨今，la protection du paysage「景観保護」という表現も覚えておきたい．

(077) Qu'est-ce qu'il faut pour obtenir le diplôme d'études ? ❍入るのは diplôme 「免状，卒業証書」．le diplôme d'études「学位」は男性名詞 *certificat*「証明，証明書」を使って le certificat d'études とも言える．

(078) Je vous écris afin de répondre à vos questions. ❍afin は afin de *inf.*（または〈afin que＋接続法〉）という熟語（前置詞句）でのみ使い，「～するために」という目的を表す．pour *inf.*（または〈pour que＋接続法〉）と同じと考えてよいが，afin de は文章語である．

C'est magnifique!

仏検準2級レベル 第13回 とりあえずチャレンジ

適語を選びなさい．

(079) エアコンが故障しています．
(1. La climatisation 2. L'aspirateur 3. Le réfrigérateur) est en panne.

(080) この国では毎日2000人ほど赤ん坊が生まれる．
Deux (1. milliards 2. milliers) de bébés naissent chaque jour dans ce pays.

(081) ガソリンが前より高い！ 値上げしたとは知らなかった．
L'essence est plus chère qu'avant ! Je ne savais pas qu'il y avait eu une (1. augmentation 2. baisse) de prix.

(082)（電車内で）「ご乗車のみなさま，切符を拝見します」．
« Mesdames, Messieurs, (1. vente 2. contrôle) des billets, s'il vous plaît ».

2つの文章がほぼ同じ意味（含意）になるようにするのに適当なのは1. 2. あるいは3. のいずれの語か答えなさい．

(083)
Avant, je travaillais avec lui.
= C'est mon ancien (1. collège 2. collègue 3. copain).

(084)
Il pleut tout le temps.
= Il pleut sans (1. interprétation 2. interruption).

(079) La climatisation est en panne.
- 正解は 1. climatisation「エアコン」. le climat「気候」を調整するものとイメージすると記憶しやすい.「エアコンが効いた部屋」は une salle climatisée と表現する. être en panne は「故障している」という頻度の高い言いまわし. 2の男性名詞 aspirateur は「掃除機」, 3の réfrigérateur は「冷蔵庫」.

(080) Deux milliers de bébés naissent chaque jour dans ce pays.
- 正解の 2. millier は「およそ1000, 千あまり」の意味で, mille「1000」から派生している. 選択肢 1 の un milliard は「10億」. mille から 0 が 3 ケタ増えるごとに un million「100万」, un milliard「10億」と変化していく（ちなみに「1億」は cent millions）.

(081) L'essence est plus chère qu'avant ! Je ne savais pas qu'il y avait eu une augmentation de prix.
- 空欄には「増加する」augmenter の派生語 une augmentation「増加」が入る. 選択肢 2 の une baisse は反対の「低下」を指す. une augmentation de prix で「値上げ」, une baisse de prix なら「値下げ」となる.

(082) « Mesdames, Messieurs, contrôle des billets, s'il vous plaît ».
- 正解は 2 の contrôle で, これは「コントロール, 制御」(英語の control) ではなく「検査, チェック」(英語の check) という意味の男性名詞. contrôle des billets で「切符の検査」となる. contrôleur(se) は「(列車の) 車掌, 検札係」. 選択肢 1 の la vente は「販売」, 動詞 vendre「売る」から.

(083) C'est mon ancien collègue.
- 「以前, 彼と一緒に働いていた」=「彼はかつての同僚だ」とする. 空欄に入るのは collègue「仕事の同僚」.「クラスメート」などの意味にも使える copain (copine)「仲間, 友達」とは区別しよう. また, 綴りの似た collège は「中学校, コレージュ」のことだ. なお, 下の文を Il est... と書き出すことはできない.

(084) Il pleut sans interruption.
- 上の「ずっと雨が降っている」に類した言い方で下は「雨が休みなく降っている」としたい. 女性名詞 interruption「中断」を, sans interruption として用いると「間断なく, 休みなく」という成句になる. 類義表現に sans arrêt, sans cesse がある. 選択肢 1 の une interprétation は「解釈」.

適語を選びなさい．

(085) 彼の年俸は30000ユーロだ．
Son salaire (1. **annuel**   2. **mensuel**) est de 30.000 euros.

(086) ああ！　大きな問題があった！
Oh mon (1. **chéri**   2. **Dieu**   3. **pauvre**)！ J'ai un gros problème !

(087) 夏に，トマトは熟す〔よく熟れる〕．
En été, les tomates sont bien (1. **dures**   2. **mûres**).

２つの文章がほぼ同じ意味（含意）になるようにするのに適当なのは 1．2．いずれの語か答えなさい．

(088) ＊freiner「ブレーキがかかる（かける）」の意味．
Le train a freiné en arrivant à la gare.
= Le train a (1. **accéléré**   2. **ralenti**) en arrivant à la gare.

(089)
Sa robe est à la dernière mode.
= Sa robe est à la mode la plus (1. **neuve**   2. **récente**).

(090)
Je souhaite partir pour l'Europe.
= Mon (1. **destin**   2. **espoir**) est de partir pour l'Europe.

(085) Son salaire **annuel** est de 30.000 euros.
  ▶「年間の」を意味する 1 を選ぶ．annuel(le) は un an「年」から派生，une fête annuelle「毎年行われる（例年の）お祭り」のように使う．選択肢 2 の *mensuel(le)* は「月ごとの」を意味する語で，*le salaire* mensuel なら「月給」のこと．なお，仏語の大きな数字の1000ごとの区切りは point(.) を用いるか，または間を 1 字分あける．

(086) Oh mon **Dieu** ! J'ai un gros problème !
  ▶**Oh mon Dieu** ! は英語の *Oh my God* ! と同じで，驚いたときや困ったときに発する言葉．キリスト教の「神」は **Dieu** と常に大文字で書く．選択肢 1 の mon *chéri* は「いとしい人」．3 の名詞 **pauvre** は間投詞的に使われて，**Mon pauvre** !（あるいは **Le pauvre** !）で「かわいそうに」という意味になる．

(087) En été, les tomates sont bien **mûres**.
  ▶空欄には mûr(e)「（フルーツなどが）熟した」の女性形複数が入る（反対語は「緑の」を意味する vert(e) で「未熟な」となる）．「（人が）成熟した」の意味でも用いられる．選択肢 1 の dur(e) は「固い，厳しい」．第 2 群規則動詞 *mûrir*「（果実が）熟す」という動詞もある．

(088) Le train a **ralenti** en arrivant à la gare.
  ▶「電車は駅に着くときブレーキをかけた」を類義の表現「スピードを落とした」とする．**ralentir**「遅くする，減速する」の複合過去である 2 が入る．lent(e)「遅い」から派生している語．なお，1 の *accélérer* は「加速する」という反対語．英語の「アクセル」*accel*（仏語では *un accélérateur*）をイメージできれば覚えられる．

(089) Sa robe est à la mode la plus **récente**.
  ▶「彼女のドレス（ワンピース）は最新の流行だ」とする．入るのは récent(e)「最近の」の女性単数形．**dernière**「最新の」と **la plus récente**「もっとも最近の」とが対応している．選択肢 1 の **neuve** は neuf「新しい」の女性形だが，「新調した，できたての」という含意をもつ新しさなので解答には不適．

(090) Mon **espoir** est de partir pour l'Europe.
  ▶「私はヨーロッパに旅立ちたい」を「私の希望はヨーロッパに旅立つことだ」としたい．正解は **mon espoir**「私の希望，望むこと」．1 の **mon** *destin* は「私の運命」なので適当ではない．なお，**dans l'espoir de** *inf.*「～することを期待して」という言いまわしは頻度が高い．

Très bien !

仏検準2級レベル 第15回 おまけのチャレンジ

データ本位対応 ▶ PP.238 - 244

2つの文章がおおむね反対の意味になるようにするのに適当なのは1. 2.
いずれの語か答えなさい．

(091)
Il est normal qu'elle ne vienne pas.
↔ Il est (1. **étrange**   2. **étranger**) qu'elle ne vienne pas.

(092)
Allume la télé, s'il te plaît.
↔ (1. **Atteins**   2. **Eteins**) la télé, s'il te plaît.

(093)
Vous êtes trop indifférent à ce point.
↔ Vous (1. **insistez**   2. **insultez**) trop sur ce point.

(094)
Je ne peux pas compter sur Cécile.
↔ Cécile est (1. **digne**   2. **valeur**) de confiance.

(091) Il est *étrange* qu'elle ne vienne pas.
> 「彼女が来ないのは当然だ」↔「来ないのは変だ」という対表現にする．正解は normal(ale)「当然の」の反対の意味になる形容詞 étrange「奇妙な」を入れる．いずれも非人称の構文で que 以下に接続法が用いられる．bizarre, *singulier(ère)*, *curieux(se)* などが類義語．スペリングは似ているが，2 の形容詞 étranger(ère) だと「外国の，関係のない」となるので注意．

(092) *Eteins* la télé, s'il te plaît.
> allumer「火をつける，（電化製品の）スイッチを入れる」を用いた「テレビをつけてよ」を「テレビを消してよ」と反意の文に．正解は，明かりや電化製品を「消す」という意味の éteindre を活用した 2 になる．1 は他動詞 atteindre の活用で，場所・目的あるいは数値などに「達する」（= arriver à *qch.*）という，まったく意味の異なる語（例：Le nombre des candidats a atteint les cent mille.「志願者の数が10万人に達した」）．

(093) Vous *insistez* trop sur ce point.
> 「あなたはこの点に無関心すぎる」↔「こだわりすぎる」と反意に．正解は 1 の insistez．*indifférent(e)*「無関心な」の反対の意味にするため「(sur に) こだわる，執着する，強調する」という動詞 insister の直説法現在の活用を選ぶ．否定命令文 N'insiste pas. なら「（しつこく）くどくど言わないで」という意味になる．選択肢 2 の *insulter* は「（人を）ののしる，侮辱する」という他動詞．ここでは使えない．

(094) Cécile est *digne* de confiance.
> 「セシルは当てにならない」↔「信頼に値する」と対の表現に．上は compter sur *qn.*「～を当てにする，頼る」という熟語．その反対の意味にするため，空欄には digne「価値がある」が入る．être digne de *qch. / inf.*「～に値する，～するに足る」という表現に，confiance「信頼，信用」を添えて，「信頼に値する，信用に足る」となる．選択肢 2. *une valeur* は「価値」という語，ここには使えない．

仏検準2級レベル 第16回 思いっきり力試し

データ本位対応 ▶ PP.238-244

🌏 11 空欄に適語を入れなさい（前頁の復習を含む）．

(095) 電気を消し忘れないで．
N'oubliez pas d' ét_____ .

(096) われわれの年間経済成長率は3パーセントだ．
Notre économie connaît une croissance an_____ de 3 %.

★(097) 日本では住宅の売れ行きが落ちている． ＊反対語は accéléré(e).
Les ventes de maisons sont ra_____ au Japon.

★(098) 彼女は自分にふさわしい男性を見つけていない．
Elle ne trouve pas d'homme di_____ d'elle.

(099) 桃は6月に熟し始める．
Les pêches commencent à m_____ en juin.

(100) 近年，犯罪の件数が減っている．
Le nombre de crimes diminue dans les années ré_____ .

★(101) 彼は仕事を見つけようと思って町に来た．
Il est venu en ville dans l' es_____ de trouver un emploi.

(102) このテレビ壊れてる．音が勝手に大きくなる．
Cette télé est en panne. Le son aug_____ tout seul.

(103) 私の身分証明書は有効期限が切れている．
Ma carte d' id_____ n'est plus valable.

(104) 人々は鈴木氏に反対票を投じた．
On a v_____ contre M. Suzuki.

フランス語単語の力を本当につけられるのはコレだ！《応用編》

(095) N'oubliez pas d'éteindre. ●éteindre は他動詞で「（火や明かりを）消す」の意味だが，例文のように目的語なしでも使われる．直説法現在の活用が意外に難しい．なお，N'oubliez pas de *inf.*「～するのを忘れないで」はもちろん頻度が高い．

(096) Notre économie connaît une croissance annuelle de 3 %. ●annuel(le)「年間の」の女性形が入る．少々レベルは高いが **une croissance** は *croître*「増大する」から派生した「成長，増大」という名詞．なお，**connaître** は「知っている」と訳されることが多いが，「経験する，体験する」の意味でもよく使う．

(097) Les ventes de maisons sont ralenties au Japon. ●ralentir（lent(e)「遅い」から派生，英語の *slow down* に相当）という第2群規則動詞から生まれた形容詞「緩慢な，ゆっくりとした」．

(098) Elle ne trouve pas d'homme digne d'elle. ●digne de *qn. / qch.*「人や物に値する」という意味なので，設問は「彼女にふさわしい」という訳になる．

(099) Les pêches commencent à mûrir en juin. ●*mûrir*「熟す，熟させる」という動詞が入る．形容詞の mûr(e)「熟した」から派生した語．

(100) Le nombre de crimes diminue dans les années récentes. ●正解は récentes「最近の」が入る．**années** にあわせて女性複数形に．ただ，解答の「近年」les années récentes は少々固い表現なので，通常は ces dernières années あるいは récemment とする方がよい．

(101) Il est venu en ville dans l'espoir de trouver un emploi. ●dans [avec] l'espoir de *inf.* で「～することを期待して」という熟語．「仕事を見つける」は trouver un travail とも表現できる．

(102) Cette télé est en panne. Le son augmente tout seul. ●空欄には自動詞 augmenter「（数・量が）増える，大きくなる，値上がりする」の活用が入る．

(103) Ma carte d'identité n'est plus valable. ●identité は英語の *identity* と同じで，「身分，身元」の意味になる．la carte d'identité は「身分証明書」，une pièce d'identité なら「身分証明に使える書類」つまり免許証やパスポートのこと．形容詞 *valable* は「有効な，通用する」の意味．

(104) On a voté contre M. Suzuki. ●voter は「投票する」で，英語の *vote* がそのままフランス語に入って le vote「票，投票」となり，さらに -er 動詞となったもの．前置詞を使い分けて，voter pour *qn. / qch.*「～に賛成投票する」，voter contre *qn. / qch.*「～に反対投票する」といった表現をする．

適語を選びなさい．

(105) この匂いは何なの？
Qu'est-ce que c'est, (1. **ce goût** 2. **cette odeur**) ?

(106) 出口の前に駐車することは禁じられている．
Il est interdit de (1. **démarrer** 2. **stationner**) devant la sortie.

(107) 「ユゴーは明日来るだろうか？」「たぶんね．」
Hugo viendra demain ? — C'est (1. **naturel** 2. **probable** 3. **rare**).

(108) ここは天気がひどい．朝から晩まで雨が降ってる．
Le temps est (1. **horrible** 2. **supportable**) ici. Il pleut du matin au soir.

２つの文章がほぼ同じ意味（含意）になるようにするのに適当なのは 1. 2. いずれの語か答えなさい．

(109)
Il a couvert la viande avec du papier.
= Il a (1. **coupé** 2. **enveloppé**) la viande dans du papier.

(110)
La Bourgogne est connue pour ses vins et sa moutarde.
= La Bourgogne est (1. **célèbre** 2. **informée**) pour ses vins et sa moutarde.

(105) Qu'est-ce que c'est, cette odeur ?
　　▶入るのは 2. **odeur**「匂い，香り」．「いい匂い」は **une bonne odeur** というが，食べ物などに対して「いい匂いがする」と言うときは，動詞 **sentir** を使って **Ça sent bon.** とする．選択肢 1 は **le goût**「味，味覚」のこと．動詞は **goûter** で「味わう」「(à の) 味をみる」の意味．

(106) il est interdit de **stationner** devant la sortie.
　　▶**Il est interdit de** *inf.*「~することは禁じられている」の形で，選択肢 2 の **stationner**「駐車する」を入れる．« **Défense de stationner** » で「駐車禁止」の標識．名詞 **le stationnement**「駐車」も « **Stationnement gênant** »「迷惑駐車」という標識で目にする．選択肢 1 の *démarrer* はややレベルが高い単語，「(エンジンが) 始動する，発進する」という自動詞．

(107) Hugo viendra demain ? — C'est **probable**.
　　▶正解は 2 の **probable**「おそらく，たぶん」．**probable** は **possible**「ありうる，可能な」より確実性が高い語．選択肢 1 を入れれば **C'est naturel.**「それは当然だ」，3 なら **C'est rare**.「それは珍しい」となる．

(108) Le temps est **horrible** ici. Il pleut du matin au soir.
　　▶空欄には **horrible**「恐ろしい，ひどい」が入る．この形容詞は **un film d'horreur**「ホラー映画」に使う **l'horreur**「恐怖」という名詞から派生しているので覚えやすい．選択肢 2 は **supporter**「支える，我慢する」から派生した *supportable*「我慢できる」という形容詞．

(109) Il a **enveloppé** la viande dans du papier.
　　▶「彼は肉を紙で包んだ」としたい．正解は 2. **couvrir** が「覆う」，**envelopper** は「包む」という意味なので類義表現になる．**envelopper** から派生した名詞に **une enveloppe**「封筒」，*un enveloppement*「包装」がある．選択肢 1 の **couper** は「切る」という動詞．

(110) La Bourgogne est **célèbre** pour ses vins et sa moutarde.
　　▶「ブルゴーニュ地方はワインとマスタードで有名だ」という文意．**connu(e)** も 1 の **célèbre** も「知られた，有名な」という意味．〈**être célèbre pour**＋所有形容詞＋名詞〉で「~で有名だ」となる．**une célébrité**「有名人」などの派生語も記憶したい．なお，2 の **informé(e)** は **informer**「情報を与える」から派生，「情報を知っている」という形容詞．**être informé(e) de**［**sur**］*qch.* で「~を知っている，~に通じている」という成句．

適語を選びなさい．

(111) この小説はまとまりを欠いている．
Ce roman manque (1. de rythme   2. d'unité).

(112) 野菜を油で炒めてください．
Faites sauter les légumes (1. à l'eau   2. à l'huile
  3. à la poêle).

(113) クロワッサンはパン屋で買える．
On achète des croissants à (1. la boucherie
  2. la boulangerie   3. la papeterie).

２つの文章がほぼ同じ意味（含意）になるようにするのに適当なのは1．2．いずれの語か答えなさい．

(114) ＊interpréter は「解釈する」．
Interprétez cette phrase avec attention.
= Interprétez cette phrase avec (1. adresse   2. précaution).

(115) ＊un grand terrain は「広い（大きな）土地」．
Il a un grand terrain à la campagne.
= Il a un grand (1. domaine   2. entrepôt) à la campagne.

２つの文章がほぼ反対の意味になるようにするのに適当なのは1．2．3．いずれの語か答えなさい．

(116)
Tu as encore maigri ?
↔ Tu as encore (1. changé   2. grandi   3. grossi) ?

(111) Ce roman manque d'unité.
> 〈manquer de＋無冠詞名詞〉「〜が足りない」という表現に，unité「統一性」をそえる．une unité には「単位」という意味もあり，une unité de valeur だと「(大学の取得) 単位」(UV と略す：obtenir des UV「単位を取る」) となる．le rythme は「リズム，テンポ」(英語の *rhythm*) のこと．

(112) Faites cuire les légumes à l'huile.
> à l'huile「油で」と入れる．faire sauter *qch.* à l'huile で「油で〜を炒める，ソテーする」の意味．faire frire *qch.* dans l'huile なら「〜を油で揚げる」となる．3 を入れ faire sauter [cuire] *qch.* à la poêle は「〜をフライパンで炒める」の意味．ただし，和訳にはそぐわない．1 を使って，faire sauter [cuire] *qch.* à l'eau (＝ faire bouillir) とすると「〜を茹でる」という意味になる．

(113) On achète des croissants à la boulangerie.
> 「クロワッサンをパン屋で買う」．空欄に入るのは 2 の la boulangerie「パン屋」．une boulangerie は「パン屋の店」という意味で，「パン屋経営者」は le boulanger, la boulangère と呼ばれる．選択肢の la boucherie は「肉屋」で，*la papeterie* は「文房具屋」のこと．こうした単語は日常生活に欠かせない．

(114) Interprétez cette phrase avec précaution.
> 「慎重にこの文章を解釈してください」としたい．正解は précaution「用心，慎重」で，これは attention「注意」の類義語．avec précaution で「慎重に」(＝ avec *prudence*) という意味の熟語になる．sans précaution なら「不用心に」．選択肢1をとり avec adresse とすると意味は「器用に」(＝ *habilement*, *adroitement*) となる．

(115) Il a un grand domaine à la campagne.
> 文意は「彼は田舎に広い土地を持っている」．*un terrain* が「土地，地所」(英語の *ground*, *land* に相当) なので，空欄には類義語の 1. domaine「所有地，領地」が入る．un domaine はワインのラベルでも見かける単語．「ブドウ園・ワイン醸造所」の意味でも使われる語だからだ．選択肢2の *un entrepôt* は少しレベルの高い語で「倉庫」のこと．

(116) Tu as encore grossi ?
> 「またやせた？」↔「また太った？」．3 の grossi, grossir「太る」の過去分詞が入る．maigrir「やせる」は形容詞 maigre「やせた」から，grossir「太る」は形容詞 gros(se)「太った」から派生している．選択肢1の changer は「変わる」，2 の grandir は「大きくなる，成長する」(形容詞 grand(e)「大きい」から派生)．changer を除いてすべて第2群規則動詞である．

仏検準2級レベル 第19回 おまけのチャレンジ

データ本位対応 ▶ PP.244 - 250

２つの文章がおおむね反対の意味になるようにするのに適当なのは 1. 2. あるいは 3. いずれの語か答えなさい．

(117)
A cette heure-ci, il y a beaucoup de gens dehors.
↔ A cette heure-ci, les rues sont (1. **désertes** 2. **peuplées**).

(118)
J'ai trouvé un beau monument.
↔ J'ai trouvé un monument (1. **historique** 2. **laid** 3. **magnifique**).

(119) ＊複数形の ordures は「ごみ」のこと．
Un vieil homme jette des ordures sur les plages.
↔ Un vieil homme (1. **brûle** 2. **ramasse**) les ordures sur les plages.

(120)
Le coktail a été très calme.
↔ Le coktail a été très (1. **animé** 2. **inutile**).

(117) A cette heure-ci, les rues sont **désertes**.
> 「この時間は，外に人が多い」↔「人が少ない」とする．1 は **désert(e)**「ひと気がない，無人の」という形容詞の女性複数形．なお，**un désert**［デゼール］は「砂漠」のこと．老婆心ながら，「デザート」を指す **un dessert**［デセール］と混同すると一大事．選択肢 2 の ***peuplé(e)*** は，*le peuple*「人民，国民」から派生した動詞 ***peupler***「住まわせる」から生まれた形容詞で「人が住んでいる，人が多い」の意味．**peu peuplé(e)** とすれば「人がほとんどいない」という意味になる．

(118) J'ai trouvé un monument **laid**.
> 「きれいな建築物を見つけた」↔「醜い建築物」という対比の文に．**ni beau (belle) ni laid(e)**「美しくも醜くもない」という知られた対表現がある．2 の **laid(e)**「醜い」を選ぶ．1 の **historique** は「歴史的(な)」，3 の **magnifique** は「壮麗な」という語である．

(119) Un vieil homme **ramasse** les ordures sur les plages.
> 「老人が浜辺にごみを捨てている」↔「浜辺のごみを拾っている」．答えは **ramasse** で，動詞 **ramasser**「拾い集める，寄せ集める」を活用したもの．**ramasser** の派生語には **un ramassage**「回収」がある．**enlever les ordures** も類義で「ごみを回収する」という意味．上の例文の **jeter** の代わりに *déposer* des ordures としても「ごみを捨てる」となる．選択肢 1 は *brûler*「焼く，燃やす」の活用形．解答にはならない．

(120) Le coktail a été très **animé**.
> **un coktail** は簡単な食事の出る「カクテルパーティー」のこと．それが「とても静かだった」↔「にぎやかだった」としたい．**calme**「静かな」に対応するよう，1 の **animé(e)**「活気のある，生き生きした」を選ぶ．なお，動画の「アニメ」は **les dessins animés**（→この **animé** は「動きのある」というニュアンス）と表現する．選択肢 2 の **inutile** は「役立つ」を意味する **utile** の反対語で，「役に立たない，無駄な」．

12 空欄に適語を入れなさい（前頁の復習を含む）.

(121) 恐ろしい悲鳴が聞こえた.
J'ai entendu des cris hor_____.

(122) カロリーとは熱量を測る単位である.
Une calorie est une u_____ de mesure d'énergie.

(123) 僕たちが太ってるのだとしたら，食べ過ぎているということだよ.
Si nous gro_____, c'est que nous mangeons trop.

★(124) 念のため席を予約しておくよ.
Je prends la préc_____ de réserver des places.

(125) セバスティアンは無人島にたどり着いた.
Sébastien est parvenu jusqu'à une île dé_____.

(126) 私はこの町の汚らしさにショックを受けている.
Je suis choqué(e) par la lai_____ de cette ville.

(127) この山はおそらくこの地方で1番高い.
Cette montagne est pro_____ la plus haute de la région.

(128) レシピがないから，イチゴタルトは作れない.
Je ne sais pas faire la tarte aux fraises, car je n'en ai pas la re_____.

★(129) リーダーは自分の失敗を認めた.
Le chef a re_____ son erreur.

★(130) 彼女は自分の運命から逃れるすべがない.
Elle n'a pas de moyen d'échapper à son s_____.

(121) J'ai entendu des cris horribles.　⭘「恐ろしい」horrible を複数形にして入れる．entendre は英語の *hear* に相当して「聞こえる」，un cris は英語の *cry* に当たり「叫び声，(動物の) 鳴き声」を指す．

(122) Une calorie est une unité de mesure d'énergie.　⭘la mesure は「測ること」なので，これと一緒に une unité de mesure d'énergie とすると「エネルギーの計測の単位」という意味になる．

(123) Si nous grossissons, c'est que nous mangeons trop.　⭘grossissons は第2群規則動詞 grossir の直説法現在．なお，〈Si..., c'est que＋直説法〉は「…であるのは～だからだ」と論を展開する構文．

(124) Je prends la précaution de réserver des places.　⭘prendre la précaution de *inf.* で「(～する用心を持つ→) 念のため～する」と訳せる．réserver des places は「席（複数）を予約する」．réserver une chambre à l'hôtel なら「ホテルに部屋（1部屋）を予約する」の意味．

(125) Sébastien est parvenu jusqu'à une île déserte.　⭘désert(e) が「ひと気のない，無人の」なので，une île déserte で「無人島」．parvenir は「（なんとか）たどり着く」．parvenir à *inf.* なら「（苦労して）やっと～できる」（＝ réussir à *inf.*）の意味．

(126) Je suis choqué(e) par la laideur de cette ville.　⭘正解は la laideur「醜さ，汚らしさ」で，laid(e)「醜い」から派生．choquer は英語の *shock* と同じく「（人に）ショックを与える，怒らせる」という動詞．être choqué(e) par A で「Aからショックを受ける，憤慨する」の意味．

(127) Cette montagne est probablement la plus haute de la région.　⭘probablement「おそらく」を入れる．形容詞 probable に -ment をつけた副詞とする．

(128) Je ne sais pas faire la tarte aux fraises, car je n'en ai pas la recette.　⭘une recette は「料理の作り方，レシピ」のこと．la recette pour une meilleure santé「もっと健康になるための秘訣」のように，「うまいやり方，コツ」という用例もある．例文の en は「それの」，つまり「イチゴタルトの」という意味．

(129) Le chef a reconnu son erreur.　⭘空欄には reconnaître「認める」の過去分詞が入る．つまり reconnaître son erreur「誤りを認める」の複合過去が入る．

(130) Elle n'a pas de moyen d'échapper à son sort.　⭘空欄には le sort「運，運命」を．これは *le destin*「運命」の類義語．また，*le tirage* au sort なら「くじ引き」となる．le moyen de *inf.* で「～する手段」，échapper à *qn. / qch.* は「～から逃れる」という表現．

適語を選びなさい．

(131) 議論は否定的な結論に達した．
Le débat a (1. **abouti**   2. **éteint**) à une conclusion négative.

(132) この単語を知りませんか？　辞書で確かめてみて．
Tu ne connais pas ce mot ? (1. **Traduis**   2. **Vérifie**) - le dans le dictionnaire.

２つの文章がほぼ同じ意味（含意）になるようにするのに適当なのは 1．2．あるいは 3．のいずれの語か答えなさい．

(133)
Tu étais heureuse quand tu étais petite ?
= Tu as passé une (1. **enfance**   2. **jeunesse**   3. **vieillesse**) heureuse ?

(134)
Excusez-moi pour mon retard.
= (1. **Autorisez**   2. **Pardonnez**)-moi mon retard.

２つの文章がおおむね反対の意味になるようにするのに適当なのは 1．2．いずれの語か答えなさい．

(135)
Il est trop sérieux.
↔ Il est trop (1. **ennuyeux**   2. **paresseux**).

(136)
A cause de cette homme, elle est morte.
↔ Cet homme lui a (1. **privé**   2. **sauvé**) la vie.

(131) Le débat a aboutj à une conclusion négative.
　　● aboutir「（場所や結論に）至る，達する」の過去分詞である 1 が正しい．選択肢 2 の éteint は éteindre「消す」の過去分詞なので入らない．aboutir は mener や conduire のように「道が～に達する」という使い方もする．une conclusion négative を une conclusion positive [affirmative] とすれば「肯定的な結論」という反意の表現になる．

(132) Tu ne connais pas ce mot ? Vérifie-le dans le dictionnaire.
　　● 正解は 2 の vérifier「検査する，確かめる」の命令法．選択肢 1 は traduire「翻訳する」の命令法．この文は，Vérifie の代わりに Cherche... と言い換えられる．chercher un mot dans le dictionnaire で「辞書で単語を調べる」という言いまわしになるからだ．なお，単に「辞書を引く」なら consulter un dictionnaire が簡便．

(133) Tu as passé une enfance heureuse ?
　　●「小さい頃は幸せだった？」＝「幸せな子供時代を送った？」としたい．正解は enfance で，これは見て分かるように un enfant「子供」から派生．ほかの選択肢，la jeunesse は「青少年期」，la vieillesse は「老年期」．なお un ami d'enfance なら「幼なじみ」となる．

(134) Pardonnez-moi mon retard.
　　●「遅れてすみません」．正解は 2 の Pardonnez．pardonner qch. à qn.「人に～を許す」の命令法である．excuser は「（人を）許す」という他動詞として使うが，pardonner は「（物を）大目に見る」という使い方をする（つまり，通例，人を直接目的語にとらない）．選択肢 1 は autoriser「許可する」（英語の authorize）という意味．une autorisation で「許可，承認」という名詞．

(135) Il est trop paresseux.
　　●「彼は真面目すぎる」↔「怠けすぎだ」としたいので，空欄に入るのは 2 の「怠惰な」．形容詞 paresseux(se) は「怠惰，無気力，不精」という名詞 la paresse から派生．動物の「ナマケモノ」もその緩慢な動きから un paresseux と称される．1 は ennuyeux(se)「退屈な」という意味．

(136) Cet homme lui a sauvé la vie.
　　●「あの男のせいで彼女は死んだ」↔「あの男は彼女の命を救った」としたい．正解は 2 で sauver「救う，助ける」の過去分詞．sauver la vie à qn. とすると「人の命を救う」という表現になる．選択肢 1 は priver qn. de qch. で「人から～を奪う」の意味．

適語を選びなさい．

(137) 旅行代理店でチケットを受けとった．
J'ai reçu le billet à l'(1. **agence**　2. **agenda**) de voyages.

(138) 誕生日おめでとう！
(1. **Nerveux**　2. **Joyeux**　3. **Généreux**) anniversaire !

(139) また皿を割ったの？　不器用すぎるよ．
Tu as encore cassé des assiettes ?　Tu es trop (1. **adroit**　2. **maladroit**).

(140) 医者に飲みすぎだと言われている．これからは飲むのを減らそう．
Le médecin me dit que je bois trop. (1. **Désormais**　2. **Jusqu'ici**), je boirai moins.

２つの文章がほぼ同じ意味（含意）になるようにするのに適当なのは 1. 2. いずれの語か答えなさい．

(141)
＊下の疑問文を Où est votre pays…?　とすると地図上で指をさして質問している感覚になる．
De quel pays êtes-vous ?
= Quel est votre pays (1. **nasal**　2. **natal**) ?

(142)
Tenez la main !
= Ne (1. **lâchez**　2. **levez**) pas la main !

(137) J'ai reçu le billet à l'agence de voyages.
- 1 の agence「代理店，取次店」を入れる．une agence は英語の *agency* から覚えると記憶しやすい．フランスの町でよく見かける une agence immobilière とは「不動産紹介所（仲介業）」のこと．選択肢 2 の *un agenda* は「手帳」，*un agenda électronique* なら「電子手帳」のこと．

(138) Joyeux anniversaire !
- 正解は 2 の joyeux(se)「嬉しい，おめでたい，陽気な」．joyeux は名詞の une joie「喜び，楽しみ」から派生した語．〈Joyeux(se) ＋名詞！〉という展開では Joyeux Noël !「メリークリスマス！」も大切な一言．1 の nerveux(se)「神経質な」，3 の généreux(se)「気前のいい，寛大な」にはこうした用法はない．

(139) Tu as encore cassé des assiettes ? Tu es trop maladroit.
- 正解は 2．1 の adroit(e) の反対語で，"mal-（悪く）＋adroit(e)（器用な）" となる maladroit(e)「不器用な」という形容詞．une maladresse は「不器用さ」（反対語は une adresse「器用さ，巧みさ」．ちなみに「住所」と同じ綴り）という名詞．

(140) Le médecin me dit que je bois trop. Désormais, je boirai moins.
- 空欄には 1 の Désormais「これから，今後は」という副詞が入る．選択肢 2 の jusqu'ici「これまで，いままで」の意味で 1 とは反意．もちろん，ici は場所を指すので「ここまで」とも訳される．

(141) Quel est votre pays natal ?
- 「お国はどちらですか？」＝「生国はどこですか？」としたい．正解は形容詞，natal(e)「生まれたところの」．De quelle région êtes-vous ? でも同意になる．le pays natal で「生まれた国（故郷）」の意味．類義語 maternel(le)「母の」があり，le pays maternel と言っても，また le pays de naissance と言っても同じ意味になる．選択肢 1 の nasal(ale) は le nez「鼻」の形容詞形で「鼻の」という意味．

(142) Ne lâchez pas la main !
- 「手をつないで！」を「手を放さないで！」と置き換えた．正解は 1, lâcher「（つかんでいたものを）放す，ゆるめる」の命令法．派生の形容詞に lâche「たるんだ，意気地のない，卑劣な」がある．選択肢 2 は lever「起こす」の命令法．

仏検準2級レベル 第23回 おまけのチャレンジ

データ本位対応 ▶ PP.251 - 260

和訳に合うように並べ替えなさい．

(143) 天井の高い部屋は明るい．
Les (hautes, pièces, plafond, de) sont claires.

(144) お引き留めしてすみませんでした．
Je suis désolé (de, retenu, avoir, vous).

2つの文章がほぼ反対の意味になるようにするのに適当なのは 1. 2. あるいは 3. いずれの語か答えなさい．

★(145) ＊un raccourci は「近道」の意味．
Le taxi est arrivé à la gare en faisant un raccourci.
↔ Le taxi est arrivé à la gare en faisant un (1. détour 2. retour).

(146)
La plupart de mes cousins sont mariés.
↔ La plupart de mes cousins sont (1. célèbres 2. célibataires 3. charmants).

(143) Les pièces hautes de plafond sont claires.
　　○un plafond は「天井」. haut(e)「高い」にしたがわれて haut de plafond となれば「天井の高い」という形容詞句．それが後ろから，les pièces「部屋」を修飾している．なお「部屋」une pièce には une chambre「寝室」, un living「リビング」, une salle à manger「食堂」などが含まれる．ただし，une cuisine「キッチン」, une salle de bain(s)「風呂」それに les W.-C.「トイレ（＊複数で用いる）」（＝ les toilettes）は含まれない．

(144) Je suis désolé de vous avoir retenu.
　　○retenu は retenir「引き留める，抑える」の過去分詞．être désolé(e) de *inf.* で「～して申し訳ない，残念だ」（例：Je suis désolé(e) d'arriver en retard.「遅刻してすみません」）の意味だが，解答のように不定法を〈avoir＋過去分詞〉にすると過去を表し問題文は「あなたをお引き止めしたことを申し訳なく思う」という意味になる．

(145) Le taxi est arrivé à la gare en faisant un détour.
　　○「タクシーは近道をして駅に着いた」↔「遠回りをして」とする．正解は 1 の un détour「回り道」で，これは un raccourci「近道」の反対語．sans détour は「(回り道をせずに→) 持って回った言い方をせずに，ざっくばらんに」という成句．選択肢 2 の un retour は「帰ること, (à への) 復帰」．英語の *return* に相当する語．

(146) La plupart de mes cousins sont célibataires.
　　○「私のいとこの大半は結婚している」↔「独身だ」という文に. 2 の形容詞 célibataire「独身の」で，marié(e)「結婚している」の反対語になる．「独身者」un célibataire, une célibataire という意味の名詞としても使う．選択肢 1 の célèbre は「有名な」(la célébrité は「有名，名声」あるいは「名士」のこと), 3 は charmant(e)「魅力的な」(le charme「魅力，美しさ」, charmer「魅了する」から派生) の意味．英語の *charming* に相当する形容詞である．

仏検準2級レベル 第24回 思いっきり力試し

データ本位対応 ▶ PP.251-260

13 空欄に適語を入れなさい（前頁の復習を含む）.

(147) 彼はフランスにいることを本当に喜んでいます．
Il est vraiment **joy**   d'être en France.

★(148) それは，やる気のない解決策だ．
C'est une solution **pare**   .

★(149) 船が沈むぞ！ 各自避難せよ！
Le bateau coule ! **Sau**   qui peut !

(150) 仏語では，使ったばかりの語を再度使うのは手際が悪い（とされる）．
En français, il est **mal**   de répéter un mot qu'on vient d'employer.

★(151) エンゾは意気地がなくて君と面と向かって話ができない．
Enzo est trop **lâ**   pour parler avec toi face à face.

(152) ヴァカンスから帰ってきたときに会いましょう．
On se verra à mon **re**   de vacances.

★(153) 君の母国語は何ですか？
Quelle est ta langue **ma**   ?

(154) 私は1日に3回薬を飲む．
Je prends des **mé**   trois fois par jour.

(155) この悲惨な状況は貧困と結びついている．
Cette situation **misé**   est liée à la pauvreté.

(156) こちらは義理の兄さん．姉の旦那さんです．
Voilà mon **be**   ; c'est le mari de ma grande sœur.

(147) Il est vraiment joyeux d'être en France.　●joyeux(se) は人が「嬉しい，陽気な」，物が「めでたい，陽気な」などいろいろな状況で使える語. *joyeusement* は副詞「喜んで，陽気に」の意味になる.

(148) C'est une solution paresseuse.　●paresseux(se) も人が「怠惰な」というだけでなく，物に「努力の跡が見られない，いい加減な」というニュアンスで使われることがある.

(149) Le bâteau coule ! Sauve qui peut !　●sauver「逃がす」を使った慣用句 sauve qui peut ! で「各自勝手に逃げよ，退避せよ！」の意味.「(船が難破した際に)自分を救える者は自分を救え」という命令が元になっている文章.

(150) En français, il est maladroit de répéter un mot qu'on vient d'employer. ●maladroit(e)「不器用な」を用いた非人称主語の文. 人が「不器用だ」というだけでなく，行為が「不手際だ，不用意だ」という意味にも用いる. 同じ段落(頁)内で"同一の語を繰り返し使うことを避けよ"とする文章作法の教え.

(151) Enzo est trop lâche pour parler avec toi face à face.　●lâche「意気地がない」を入れる.〈trop＋形容詞＋pour *inf.*〉は「〜するには…すぎる」あるいは「あまりに…で〜できない」と訳される大事な構文(英語の *too...to do* に当たる).

(152) On se verra à mon retour de vacances.　●retour「戻る，帰ること」を使った成句，à mon retour (de...) で「(〜から)私が帰ってきたとき」となる. 代名動詞 se voir は相互的な用法となる例で「(互いに)会う」の意味.

(153) Quelle est ta langue maternelle ?　●maternel(le)「母の」の女性単数形を入れる. la langue natale あるいは la langue de naissance と言っても同じく「母語」を指す. ちなみに une école maternelle とすると「保育園」の意味. 反対語「父の」は *paternel(le)* である.

(154) Je prends des médicaments trois fois par jour.　●un médicament「薬」の複数形を入れる. prendre un médicament [des médicaments] で「薬を飲む」という決まり文句.

(155) Cette situation misérable est liée à la pauvreté.　●misérable「哀れな，悲惨な」は la misère「悲惨」から派生している形容詞. *la pauvreté* は「貧困」，反対語は la richesse「富」.

(156) Voilà mon beau-frère ; c'est le mari de ma grande sœur.　●正解 beau-frère「義理の兄(弟)」. 家族を表す名詞に beau- / belle- を付けると「義理の〜」という言葉ができる. *un beau-père*「義父」，*une belle-mère*「義母」，*une belle-sœur*「義理の姉(妹)」など.

C'est magnifique !

はじめよう!!

さぁ

仏検準2級レベル
→仏検2級レベル
（全20回，厳選の160問）

　真の単語"力"養成にむけて，〈挑戦ー確認パターン〉の反復練習にチャレンジ．とりわけ〈挑戦〉の設問は多様にして奥が深い！

　ＣＤには「確認」の部分を収録．ノーマルスピード→ゆっくりスピードの順で録音されているので，ノーマルスピードで"聞く力"を確認，ゆっくりスピードで"書きとり"に挑戦！〈聞く＋書く〉力も育てよう．

　レベルを考慮して，姉妹編の『データ本位　仏検単語集』に載っていない単語でも過去問に照らして出題されたことのあるものは積極的にこれを採用している．その一方，本書の総まとめの意味から解説のページには『データ本位』に載っている語の指示を3　3級レベル，4　4級レベルとして該当する語の右肩に略記した．

＊5級レベルの指示は不要と判断し載せていない．

仏検準2級〜2級レベル　第1回　挑戦

3つの単語から適語を1つ選びなさい．

(001) 電話をお借りできますか？
Je peux (**louer** / **prêter** / **utiliser**) votre téléphone ?

(002)（掲示で）開けるときにはここを押してください．
« Pour ouvrir, (**apposez** / **pressez** / **tirez**) ici. »

(003)『失われた時を求めて』はプルーストの小説である．
« A la recherche du temps perdu » est (**une histoire** / **un récit** / **un roman**) de Proust.

(004) 彼女は寒がりだ．
Elle est (**sensible** / **sensuelle** / **sentimentale**) au froid.

a. b. の文に共通に入る語を答えなさい．

(005)
a. On a parlé avec ab＿＿＿＿． ＊ざっくばらんに話す
b. On a décidé l' ab＿＿＿＿ du match． ＊試合放棄

(006)
a. Il s'est mis en ma＿＿＿＿ de bain． ＊水着を着る
b. Il a enlevé son ma＿＿＿＿ de sport．
　＊ランニングシャツを脱ぐ

空所に入らない語を答えなさい．

(007) jeter ＿＿＿＿
1. l'ancre　2. les dés　3. un caillou　4. le match

(008) ＿＿＿＿ la guerre
1. éviter　2. gagner　3. jeter　4. perdre

(001) 「(電話を) 借りる」は「(移動せずにその場で) 使う」の意味になるので utiliser を用いる (注：emprunter[4]「(物を) 借りる」を用いる人もいる)．prêter は「貸す」，louer[4] は「(お金を払って家や物を) 借りる」(例：louer un studio[4]「ワンルームマンションを借りる」) の意味になる．

(002) pressez を入れる．presser[4] は「(力を加えて) 押す」(英語の *press*) の意味で，地下鉄のドアのボタンなどにこの文言が書かれている．appuyer sur が同義 (例：Il a pressé [appuyé sur] ce bouton.「彼はこのボタンを押した」)．類語に pousser[4] があり，これは「(ドアなどを) 押す」という意味で英語の *push* に相当する語．apposer は「(判を) 押す」，tirer[4] は「引っ張る，引き寄せる」の意味．

(003) un roman「小説，長編小説」が入る．「小説を読む」は lire un roman,「書く」は écrire,「出版する」は publier[3] を使う．récit は「話, 物語」, histoire は「(現実ないしは想像上の) 物語」の意味．

(004) 「彼女は寒さに敏感だ (弱い)」という直訳から「彼女は寒がりだ」という日本語を導き sensible を入れる．sensible à *qch.* で「〜に敏感な，弱い」の意味．英語の *sensitive* に相当．なお，「寒がりである」は être frileux(se) という言い方もある．sensuel(le) は「官能的な」，sentimental(ale) は「愛情の，ロマンチックな」という意味の形容詞なので不適当．

(005) abandonner「捨てる，放棄する」の名詞 abandon が共通に入る語．avec abandon で「くつろいで，打ちとけて」(= franchement[3]) となるが，この熟語の頻度はそれほど高くない．l'abandon du match[4] は「試合放棄」．ちなみに「戦争放棄」は l'abandon de la guerre,[4] あるいは la renonciation à la guerre と表現する．

(006) maillot が入る．maillot あるいは maillot de bain[4] で「水着」，maillot de sport で「ランニングシャツ (maillot de sportif,[4] maillot de course[4] とも言う)，ジャージ」のこと．着脱を表す動詞もチェックしておきたい．

(007) 「投げる」対象が順に「錨 (をおろす)」「サイコロを」「小石を」「試合を」となるが，実際に「放る」ことができない 4 の le match に jeter[4] は使わない．005 と同じく「試合を放棄する」と考えて abandonner le match と表現する．

(008) 3 は「戦争を投げる (?)」となり意味をなさない．「戦争を放棄する」としたいのなら renoncer à la guerre を用いる．残りは番号順に「1. (戦争を) 避ける 2. (戦争に) 勝つ 4. 負ける」となる．

仏検準2級〜2級レベル 第2回 確認

14 空欄に適語を入れなさい．

(009) 友だちは2年の予定で家を借りた．
Mon ami a l___ une maison pour deux ans.

(010) （混雑した場所で）押さないでください！
Ne p___ pas !

(011) 事実は小説より奇なり．
La réalité dépasse la fic___.

(012) この近くに銀行はありますか？
Il y a une banque dans ce qua___ ?

(013) 昨夜，この交差点で事故があった．
Hier soir, il y a eu un accident à ce car___.

(014) 彼は小川さんと仲が良い．
Il a de bonnes re___ avec M. Ogawa.

★(015) 彼女は教師をいたく尊敬している．
Elle a beaucoup d' ad___ pour son professeur.

(016) 造形用のこの土（粘土）はとても肉感的な材料だ．
Cette terre à modeler est une matière très sen___.

(009) louer の複合過去を入れて Mon ami a loué une maison pour deux ans. (→ cf. 001) となる.「賃貸しする」も louer[4] を用いる（例：louer un appartement à une étudiante「女子学生にアパルトマンを貸す」).「(無料で) 貸す」には prêter を使う. これ, 混同しやすい.

(010) 英語の *Don't push* ! に相当する言い方. 動詞 pousser (→ cf. 002) を否定命令文にして Ne poussez pas ! となる. 混んでいる場所で, この一言は定番. このケースで「押す, 押しつける」を意味する presser（例：Pour ouvrir, pressez ici.「開けるにはここを押してください」）は使われない.

(011) la réalité「現実, 事実」の反対語,「作り事, 虚構」を意味する fiction が入る. これは諺なので le roman や l'histoire は入れられない (→ cf. 003).

(012)「この近く」près d'ici とほぼ同意となるように「この地区, この界隈」と考えて quartier を入れる. パリの学生街 le Quartier latin でおなじみの単語.

(013)「交差点, 十字路」carrefour[4] が入る. « Carrefour dangereux[4] » の看板は「事故多発交差点」を指し示す. 類語に le croisement (→動詞 croiser「(十字に) 組む, 交差させる」から) がある.

(014) relations が入る. 主に複数で使われ,「(人と人との)関係」「人間関係」relations humaines[3] を示す語. 形容詞は relationnel(le). なお「知りあい」の意味でも使われ, rencontrer[4] une relation なら「知人に出会う」という表現になる.

(015)「尊敬」となると un respect, une estime といった語が連想されるが, ad- ではじまる語なので, ここには admiration が入る.「感嘆, 敬服, 賛美」の意味を持つ語. 動詞は admirer. なお, admirateur(trice) は賛美者, つまり「ファン」のこと.

(016) sensuelle (→ cf. 004) が入る. 名詞は sensualité で, 例文の「肉感的な材料」は une matière d'une grande sensualité と書き換えられる.

仏検準2級〜2級レベル 第3回 挑戦

3つの選択肢から適当な語句を1つ選びなさい.

(017) ピエールは日本の地理を研究している.
Pierre étudie la (**géographie** / **géométrie** / **symétrie**) du Japon.

(018) 私は5時間ピアノの練習をした.
J'ai fait des (**exercices** / **leçons** / **répétitions**) de piano pendant cinq heures.

(019) 最寄り駅はどこですか？
Où est la gare la plus (**près** / **prochaine** / **proche**) ?

★(020) 焼いたソーセージを食べた.
On a mangé (**des saucisses grillées** / **des saucissons grillés** / **de la viande grillée**).

a. b. の文に共通に入る語を答えなさい

(021)
a. Ma femme est de noble **or**_____ . ＊貴族の出である
b. A l' **or**_____ , ce bâtiment était une école. ＊そもそもは

(022)
a. L' **or**_____ va éclater. ＊雷雨が来そうだ.
b. Il y a de l' **or**_____ dans l'air. ＊ひと波乱ありそうだ.

空所に入らない語を答えなさい.

(023) fermer _____
1. la boutique   2. la porte   3. les rideaux   4. la vis

(024) perdre _____
1. votre confiance   2. ma place   3. un voleur   4. la vue

(017) "géo-（地球）＋graphie（記すこと）"から「（地勢を記述する学問→）地理（学）」となる語は géographie．形容詞 géographique も覚えておきたい．"-métrie「測量する」" から géométrie で「（土地を測る→）幾何学」．symétrie は "sy-「共に」＋-métrie「寸法から」"，つまり「（同じ寸法のもの→）シンメトリー，左右対称」のこと．解答は géographie．

(018) 「練習する」には s'exercer[3] あるいは faire des exercices が用いられる．「ピアノのレッスンを受ける」なら prendre des leçons de piano，「繰り返し」の意味で知られる la répétition は「（演劇や楽団の）リハーサル，稽古」という意味もある．

(019) 形容詞「近い」を意味する proche が入る．「1番近い駅はどこですか？」と考えて「最寄り駅」とする．なお，prochain(e)[4] は曜日や週や年などに添えられて「この次の」となる語，près（反対語：loin「遠くに」）は「近くに，そばに」を意味する副詞．

(020) des saucisses grillées が答え．女性名詞 saucisse は「（調理して食べる）ソーセージ」，男性名詞 saucisson は「（サラミ風の）ソーセージ」を指す語なので，普通は加熱せず食べる．la viande grillée は「網焼きの肉」の意味．ちなみに「生の」という形容詞は cru(e)（例：La viande est encore crue.「肉はまだ生です」）．

(021) 「出身，生まれ，始まり」を意味する女性名詞 origine を入れる．à l'origine は「初めは，当初は」を意味する成句で au début[4] とほぼ同意．

(022) 男性名詞「雷雨」orage が共通に入る語．a. は Il va faire de l'orage. とも言える，b. は「険悪な雰囲気だ，雲行きが怪しい」とも訳せる口語表現．

(023) 1〜3は順に「店を」「ドアを」「カーテンを」となり fermer「閉める」の目的語になる．しかし，4「ビス（la vis）を締める（緩んでいるものを締める）」とするには serrer[3] あるいは attacher を用いる．

(024) 正解は 3 の un voleur．「泥棒を見失う」とするには de vue を添えて perdre un voleur de vue とするか，あるいは「取り逃がす」laisser un voleur s'enfuir とする．空所には入れられない．他は順に「1. あなたの信頼を　2. 職を　4. 視力を失う」の意味になる．

仏検準2級～2級レベル 第4回 確認

🌐 15 空欄に適語を入れなさい．

(025) 彼女は教師の信頼を得ている．
Elle gagne la con_____ de ses professeurs.

(026) 彼は地理の授業をした．
Il a donné une le_____ de géo_____.

(027) 冬はもうすぐだ．
L'hiver est pro_____.

(028) 彼女たちはこの国の出身だ．
Elles sont or_____ de ce pays.

(029) 駅まで送って行きます．
Je vais vous ac_____ jusqu'à la gare.

(030) おじは医者の忠告で酒を飲むのをやめた．
Mon oncle a cessé de boire sur les con_____ de son médecin.

(031) そのプレゼントを紙で包んでください．
En_____ ce cadeau avec un papier, s'il vous plaît.

(032) 貴重な時間を無駄にしないようにこの道具を使ってよ．
Tu vas utiliser cet outil pour gagner un temps pré_____.

(025) gagner la confiance[3] de *qn.* で「～の信頼を得る」の意味．もし「（信頼）を回復する」とするなら動詞を retrouver[4] （→（元の状態を）とり戻す）とすればよい．

(026) une leçon de géographie となる（→ cf. 017）．〈donner une leçon de＋教科〉で「～の授業をする」の意味．faire la classe で「（教師が）授業をする」，あるいは donner [faire] un cours「講義をする」という言い方もある．ただし，冠詞が違う点に注意．

(027) proche を入れる（→ cf. 019）．距離だけでなく，時間が「近い」の意味で使われる形容詞 proche を入れる．例文は C'est bientôt l'hiver.「もうすぐ冬だ」と書いてもほぼ同意．

(028) origine（→ cf. 021）から派生する形容詞は「もとの，オリジナルの」を意味する original(ale) と，「〈de の〉出身の」を意味する originaire とがある．ここは後者を主語 elles と性数一致させて originaires とする．なお，この文章は Elles sont venues de ce pays.「彼女らはこの国から来ている」とも書ける．

(029) 英語の *accompany* と同意で「～と一緒に行く，連れ添う」を意味する accompagner が入る．「伴奏する」（例：accompagner *qn.* au piano「ピアノで～の伴奏をする」）の意味でも使われる．男性名詞 accompagnement「同行，同伴，伴奏」も覚えておきたい語．

(030) conseils[4] が解答．あれこれの「忠告，アドバイス」でこの文章では名詞は複数形．「人に忠告する」という表現は donner conseil à *qn.*，あるいは動詞 conseiller を用いて conseiller[3] *qch.* à *qn.*「人に～を忠告する」とする．

(031) envelopper[3]「包む」の命令形 Enveloppez を入れる．「包むこと，包装」という名詞は un enveloppement，「封筒」は une enveloppe[3]．なお，「贈答用の包装紙」は le papier cadeau と呼ばれる．

(032) 「貴重な，大切な，高価な」を意味する形容詞 précieux(se)[3] の男性形単数 précieux が入る．この例文で gagner は「（時間を）節約する」の意味．なお，un outil は「（主に手仕事に用いる）道具」のこと．ひろく「道具，器具，器械」の意味では un instrument[3] が使われる．

仏検準2級〜2級レベル　第5回　挑戦

3つの単語から適語を1つ選びなさい.

(033) 彼は日に1箱タバコを吸う.
Il fume (une boîte / un coffre / un paquet) par jour.

(034) 荷物をコインロッカーに預けたい.
Je voudrais mettre mes bagages (au distributeur / à la consigne / à la traduction) automatique.

(035) 彼らは公園の奥の木製のベンチに腰をかけた.
Ils se sont assis sur (un banc / une banquette / un canapé) de bois au fond du parc.

(036) 彼は家賃を半年分ためている.
Il est en retard de six mois sur son (impôt / loyer / tarif).

空所に入らない語句を答えなさい.

(037)　composer
　1. un cinéma　　2. un opéra
　3. un poème　　4. un roman

(038)　faire
　1. des courses　　2. une promenade
　3. un satisfait　　4. des révisions

(039)　　　　l'examen d'entrée
　1. baisser　　2. échouer à
　3. rater　　4. être refusé(e) à

(040)　prendre
　1. deux cachets d'aspirine　　2. une douche
　3. du repos　　4. du vélo

(033) boîte は英語の *box*, *can* に相当する「箱」，coffre は「(蓋付きの) 大きな箱，金庫 (= coffre-fort)」．タバコの「箱」は un paquet (= un paquet de cigarettes[3]) と言う．

(034) la consigne automatique で「コインロッカー」(la consigne は「手荷物預かり所，クローク」のこと)．le distributeur automatique は「自動販売機」，la traduction automatique は「機械翻訳」のこと．

(035) 順に「ベンチ」「(列車・バスなどの) 座席, (待合室などにある) 長椅子」「ソファー (= un sofa)」の意味．s'asseoir[4] sur un banc で「ベンチに座る」の意味 (前置詞 sur に注意)．

(036) 「家賃」には loyer (あるいは une location[3]) が用いられる．un impôt は「税金」，un tarif[4] は「(定められた) 料金，価格」のこと．

(037) composer は「(作品や曲などを) 書く，創作する」という動詞．2～4 の「オペラ」「詩」「小説」は目的語になるが 1 の「映画 (un cinéma) を作る」という言いまわしには用いられない．produire un film「映画を製作する」あるいは réaliser[3] un film「映画を監督する」とする．なお，「(個々の) 映画」は un film，「映画」というジャンル，「映画館」が un cinéma である点にも注意．

(038) 3 の「満足する」には être satisfait(e) [content(e)] de *qn.* / *qch.* が用いられ，faire un satisfait (×) とは言わないし，言えない．他は「買い物をする」「散歩をする」「復習をする」の意味で faire が使われる大切な表現．

(039) 「入学試験に落ちる」とするのに 1 以外は使うことができる．baisser は「低下する」のニュアンスで用いられる語 (例：「売り上げが 1 割落ちた」Les ventes[4] ont baissé de dix pour cent.)．

(040) 「アスピリンを 2 錠 (飲む)」「シャワーを (浴びる)」「休暇を (とる)」「傘を (持って行く)」は言えるが，4 は faire du vélo で「サイクリングする」となるが prendre は用いない．なお「自転車に (乗る)」は monter à [en] bicyclette, enfourcher une bicyclette といった言い方をする．

Très bien!

仏検準2級〜2級レベル　第6回　確認

🌏16 空欄に適語を入れなさい．

(041)（機内・車内などで）「安全ベルトをお締めください」．
« Attachez vos cein_____ . »

(042) 私の車はガソリンをたくさん食う．
Ma voiture con_____ beaucoup d'essence.

(043) 使用説明書を見せてくださいますか？
Est-ce que je peux voir le manuel d'uti_____ ?

(044) この契約書にサインをしてください．
Signez ce con_____ , s'il vous plaît.

(045) 彼は税金を滞納した．
Il a manqué de payer ses im_____ .

(046) エレベーターは修理中だ．
L'ascenceur est en ré_____ .

(047) ショーウインドーに陳列されているあのバックを見せてください．
Montrez-moi ce sac qui est dans la vi_____ , s'il vous plaît.

(048) 私たちはピアノの伴奏で歌った．
Nous avons chanté avec ac_____ de piano.

(041) 複数形の ceintures が入る．attacher [boucler, serrer] sa ceinture で「ベルトを締める」の意味だが（注：serrer は「きつく締める」こと→ cf. 023），掲示に書かれる「安全ベルト，シートベルト」には複数形が用いられる．

(042) 「（原料・エネルギーを）消費する」consommer を直説法現在に活用して，consomme が入る．名詞は la consommation で「消費」，反対語「生産」は la production[3]（動詞は produire[3]）．

(043) le manuel d'utilisation で「使用説明書」（= le mode[4] d'emploi）．utilisation は動詞「使用する」utiliser（→ cf. 001）から派生する名詞．

(044) 「契約，契約書」の語彙になる男性名詞 contrat を入れる．「契約を破る」violer un contrat，「契約を解除する」résilier un contrat などは，フランス語でビジネスをするときには必須の表現である．

(045) impôts[3] が入る（→ cf. 036）．「税金を納める」は payer des impôts [des taxes, une contribution[3]] といった表現を使う．「税を上げる（下げる）」というときは augmenter [diminuer] les impôts という言いまわしが通例．

(046) 「修理」une réparation が入る．«En réparation» とあれば「修理中」のこと．「修理する」を意味する動詞は réparer．たとえば，donner sa montre à réparer で「時計を修理に出す」，faire réparer[3] une montre とすれば「修理してもらう」の意味になる．

(047) 「ショーウインドーに」は dans la vitrine，あるいは en vitrine という言い方をする．はっきりと「陳列された」とするなら ce sac exposé dans la vitrine とも表現できる．

(048) accompagnement（→ cf. 029）が入る．〈avec accompagnement de + 楽器〉「～の伴奏で」という成句．

仏検準2級〜2級レベル　第7回　挑戦

下線の語の反対語を空欄に入れなさい．

(049)
a. Mon neveu s'habille avec goût.
b. Ma n_____ s'habille avec goût.

(050)
a. Ma montre retarde de cinq minutes.
b. Ma montre a_____ de cinq minutes.

(051)
a. Cette pêche est mûre.
b. Cette pêche est v_____.

(052) ＊retirer は「引き出す」の意味．
a. J'ai retiré de l'argent à la banque.
b. J'ai d_____ de l'argent à la banque.

空所に「身体」を表す名詞を入れなさい．

(053) 彼はマルタンさんに恨みを持っている．
Il a une _____ contre M. Martin.

(054) 父は音痴だ．
Mon père n'a pas d'_____.

(055) あの丘の麓には大きな教会がある．
Il y a une grande église au _____ de cette colline.

(056) 泥棒は一目散に逃げだした．
Le voleur s'est enfui à toutes _____.

(049) a.「私の甥」を b.「私の姪」ma nièce とする.「従兄弟」は cousin,「従姉妹」は cousine. s'habiller[4] avec goût[4] は「洋服の趣味がよい」という意味.

(050) a.「時計が5分遅れている」(自動詞 retarder：口語では Je retarde de cinq minutes. という言い方も可能)を b.「進んでいる」とする. avancer[4] を活用した avance が解答になる.

(051) a.「この桃は熟している」を b.「未熟な」(= qui n'est pas mûr(e)[3])とする.「緑の」を意味する vert(e) には「未熟な」という大切な意味がある. 主語「桃」との性数一致で女性単数形 verte が入る.

(052) retirer[3] de l'argent à [de] la banque (=retirer de l'argent de son compte[4])「(銀行のお金を)引き出す」を「(銀行にお金を)預金する」としたい. déposer de l'argent à la banque (= déposer de l'argent sur son compte) を複合過去にして j'ai déposé とする.

(053)「歯」dent を入れ, avoir une dent contre qn. とすると「人に恨みを抱く」という意味の口語表現. 日本語でいえば「歯(牙)をむく」に近い.「歯」の代わりに「恨み」を表す du ressentiment, de la rancune という語にも置き換えられる.

(054)「耳」oreille[4] が入る. avoir de l'oreille で「音感がいい」の意味, 設問はその否定文. chanter faux[4] でも同じく「調子はずれに歌う」となる. ちなみに「方向音痴である」は ne pas avoir le sens[4] de l'orientation という説明的な言い方が用いられる.

(055)「〜の麓には」の意味では「足」pied を入れる.「〜の下に」で〈au pied de＋場所〉=〈au bas[4] de＋場所〉という言い方をする.

(056)「脚」jambes の複数形が入る. à toutes jambes で「一目散に, 全速力で (= à toute vitesse[4] [allure])」となる成句.

第8回 確認 （仏検準2級〜2級レベル）

🌐 17 空欄に適語を入れなさい.

(057) 警察署はどこですか？
Où est le **com**_____ ?

(058) 今晩は食欲がない.
Je n'ai pas **d'ap**_____ ce soir.

(059) この料理はまずい.
Ce plat a mauvais **g**_____.

(060) 50人程の志願者がいたが，ほとんど合格しなかった.
Une **cinq**_____ de candidats se sont présentés, mais peu ont été admis.

(061) 医者は彼女に退院を許可した.
Le médecin l'a **au**_____ à sortir de l'hôpital.

(062) この地域ではこうするのがしきたりだ.
Dans cette région, il est de **tra**_____ de faire comme ça.

(063) 彼女はいつも遅れてくる.
Elle est toujours en **re**_____.

(064) 彼は選挙に立候補した.
Il s'est porté **can**_____ aux élections.

(057) 「警察署」commissariat（＝ commissariat de police）が入る．「警察」は la police，「警察官」は un agent[4] あるいは un agent de police，俗語では un flic と呼ばれる．

(058) 食事の際の Bon appétit !「たっぷり召し上がれ」の言いまわしで知られる「食欲」appétit が入る．avoir de l'appétit の言い方で「食欲がある」の意味．問題文はその否定文で，部分冠詞の形が変わる．manquer[4] d'appétit で「食欲がない」，perdre[4] l'appétit なら「食欲をなくす」の意味．

(059) avoir bon goût「味がいい」，その反対 avoir mauvais goût が入る．avoir du goût も「味がいい，センスがいい」の意味．de bon [mauvais] goût は「趣味の良い（悪い）」というニュアンス．（→ cf. 049）

(060) 〈数詞＋-aine〉で「約〜」という表現になる．たとえば「約10」dizaine，「約20」vingtaine，「約30」trentaine というわけで cinquantaine が入る．「志願者，候補者」を指す candidat(e)[3] は頻度の高い語だ．

(061) 「許可する」autoriser の過去分詞（女性形）autorisée が入る．A autoriser qn. à inf.「A（権限のある人や機関）が人に〜することを許可する」の意味．類語の permettre[4]「許可する」は主語に制約はなく，ちなみに物が主語でもよい．

(062) 「伝統，習慣」を意味する tradition が入る．être de tradition の言いまわしで「伝統である，習慣である」となる．形容詞 traditionnel(le)「伝統的な」も重要語．

(063) en retard[4]「遅れて（いる）」は重要な言いまわし．être en retard sur qn. / qch. だと「〜より遅れている」（例：être en retard sur l'horaire「（電車などが）定刻より遅れている」の意味になる（→ cf. 050）．

(064) candidat「立候補者」が入る（→ cf. 060）．se porter candidat(e) aux élections[3] で「選挙に立候補する」の意味．左記の文章，candidat(e) を用いずに se présenter aux élections としても同意になる．

仏検準2級〜2級レベル　第9回　挑戦

下線の語の反対語を空欄に入れなさい．

(065)
Ce quartier est très tranquille.
Ce quartier est très b_____.

(066)
Votre sac est léger.
Votre sac est l_____.

(067)
Sophie a un caractère optimiste.
Sophie a un caractère p_____.

(068) ＊解答はいくつか考えられる．
Les soldats étaient courageux.
Les soldats étaient _____.

空欄に野菜を入れなさい．

(069) 万事休す（→ニンジンは煮えた）．
Les ca_____ sont cuites.

(070) 機が熟するのを待たなくてはならない（→洋梨が熟す）．
On doit attendre que la po_____ soit mûre.

(071) あいつは浮気っぽい（→アーティチョークの芯だ）．
C'est un cœur d' ar_____.

(072) 朝飯前だ（→キャベツみたいに馬鹿）．
C'est bête comme ch_____.

(065) 「この通りは静かだ」の反対語「騒々しい，やかましい」bruyant(e) の男性形が入る．「静かな」tranquille の類語は calme[4]，silencieux(se)「静かな，音を立てない」という語もある．

(066) 「あなたの鞄は軽い」léger(ère) を「重い」lourd(e) とする．解答はもちろん，男性単数の lourd．名詞「重さ」は la lourdeur，「軽さ」は la légèreté，副詞は lourdement と légèrement となる．

(067) 「ソフィーは楽観的な性格だ」（= Sophie est d'un heureux caractère[3]）を「悲観的だ」pessimiste とすると反対の意味になる．optimisme, pessimisme はそれぞれ「楽観主義」「悲観主義」の意味となる男性名詞．

(068) le courage「勇気，気力」の形容詞を用いた上の文が「兵士たちは勇敢だった（= brave[4]）」となるのに対して「臆病な，こわがりの」を意味する peureux(se) あるいは timide[3] の複数形，つまり peureux か timides が入る（文語だが couards「臆病な」という語も入れられる）．

(069) 例文は cuire[4] の受動態の文章，空欄には「ニンジン」の複数形 carottes が入る．料理でニンジンがくたくたに煮えた時はすべての食材もくたくた，というわけで「もうどうしようもない」と絶望の一言に用いられる．

(070) 「洋梨」poire が入る．ただし，少々古風な言い方．俗語では Quelle bonne poire ! で「（なんてうまい梨→）なんて間抜けなんだ！」という言い方をする．なお，「熟す」という語については 051 を再確認のこと．

(071) 日本ではあまりなじみのない「チョウセンアザミ」が和名の artichaut が入る．その芯が cœur d'artichaut，周辺のガクの部分をとった中心部でここがもっとも美味．なぜか，これが「浮気，移り気」の意味に用いられる．

(072) bête comme chou で「簡単だ」の意味．C'est tout bête[4]「（まるで馬鹿みたい→）ごく簡単だ」と同義．ご存知のように un chou à la crème で「シュークリーム」．これ英語の *shoe* と早合点，「靴クリーム」と勘違いした外国人がいたとか！

仏検準2級〜2級レベル 第10回 確認

🌐 18 空欄に適語を入れなさい．

(073) たっぷりの水でスパゲッティをゆでなくてはなりません．
Il faut faire **cu**_____ les spaghetti dans beaucoup d'eau.

(074) イチゴタルトが大好物だ．
J'adore les tartes aux **fr**_____.

(075) あなたの言葉が私の大きな励みとなった．
Vos paroles m'ont beaucoup **en**_____.

(076) 課長と仕事をするのは不愉快だった．
C'était **dés**_____ de travailler avec mon chef de bureau.

(077) かつてこの付近には壮大な神社がありました．
Il y avait un temple shintô très **va**_____ près d'ici autrefois.

(078) 遊園地に行きませんか？
Si on allait au parc d'**at**_____ ?

(079) このワインは軽さがうけている．
Ce vin est apprécié pour sa **lé**_____.

(080) コートは着たままでいてください．
Ga_____ votre manteau.

(073) **cuire** は「（食物が）焼ける，煮える」の意味，**faire cuire** とすると「焼く，煮る，調理する」の意味になる（他動詞 cuire に「焼く，煮る」の語義はあるが **faire cuire** と表現することが大半）（→ cf. 069）．なお，イタリア語派生の **spaghetti** は複数形で〈s〉をそえることもある．

(074) une tarte aux **fraises** で「イチゴタルト」．un café au lait と同じく前置詞 à は付属・特徴を表して「～の入った，～を持った」の意味．**une chambre à un lit**「シングルの部屋」，**une femme aux cheveux blancs**「白髪の女性」も同じ．

(075) le courage「勇気」（→ cf. 068）から派生する動詞 encourager *qn.*「人を励ます，勇気づける」の過去分詞 **encouragé** が入る．**un encouragement** は「励まし」という名詞．

(076) 空欄には **agréable**[4]「快適な」の反対語 **désagréable** が入る．**déplaisant(e)** という類語や **sympathique**[4]「感じがいい」の反対語 **antipathique**「感じの悪い」という語も覚えておきたい．

(077) 「広大な，巨大な」を意味する **vaste** を入れる．「（服装が）ゆったりしている」の意味でも使われる（例：Elle porte un vaste manteau.「彼女はゆったりしたコートを着ている」）．

(078) 〈Si＋S＋V（直説法半過去）...?〉で相手を誘う定番の表現．「遊園地」は **un parc d'attractions**，「アトラクション，娯楽」という語は通常，複数形が使われる．「遊園地」は **un terrain de jeux**[3] という言い方もある．

(079) 「軽さ」**légèreté**（→ cf. 066）を入れる．**apprécier** は「（高く）評価する」を意味する他動詞．**une appréciation** が名詞．

(080) **garder**「（服などを）脱がずにいる」という動詞の命令形 **Gardez** を入れる．「（服を）脱ぐ」**se déshabiller**，「（服を）着る」**s'habiller**，「（服を）着ている」**être habillé(e)** といった語も確認しておきたい．

仏検準2級〜2級レベル 第11回 挑戦

（　　）内の語を文意にあうよう適当な派生語に書き改めなさい．

(081) 彼は決断力に富んでいる．
Il a l'esprit de (décider).

(082) 自由にあなたの意見をおっしゃってください．
Je vous prie d'exposer (libre) votre opinion.

(083) これは私たちにとって大きな喜びです．
C'est une grande (satisfaire) pour nous.

(084) あいにく，当ホテルに自販機はございません．
Désolé, Monsieur, nous n'avons pas de (distribuer) dans notre hôtel.

下線の語の反対語となる接頭辞を語数指定の空欄に入れなさい．

(085)
C'est utile d'essayer.
C'est __utile d'essayer.

(086)
Son écriture est lisible.
Son écriture est __lisible .

(087)
Il est d'une taille ordinaire.
Il est d'une taille _____ordinaire .

(088)
C'est un médecin connu.
C'est un médecin __connu . (= inconnu)

(081) 動詞 décider から，女性名詞 décision（= résolution）を導く．avoir l'esprit[4] de décision で「決断力に富む」の意味．manquer[4] de décision だと「決断力のない，優柔不断である（= manquer de caractère）」の意味．形容詞「決定的な」は décisif(ve)．

(082) 「自由に」という副詞 librement を入れる．フランス共和国の標語 « Liberté, Egalité, Fraternité » の la liberté[3] が名詞形である．

(083) 「満足させる」を意味する動詞から，名詞 satisfaction を導く．satisfaire の分詞から派生した形容詞「（事柄が人にとって）満足な」satisfaisant(e)，「（人が de に）満足している」satisfait(e) は混同しやすい．

(084) 「配る，分配する」distribuer から「自動販売機」distributeur（→ cf. 034）を導く．「分配」という名詞は la distribution，「配分された」という形容詞は distributif(ve) と言う．ただ形容詞の頻度は高くない．

(085) 「やって役に立つ」を「やっても無駄だ」とする．inutile[3] と "in-"「否，非，不」のニュアンスを持つ接頭辞をつける．utilisable「使用できる」（反対語は inutilisable「使用にたえない」）なども同じ．ちなみに，名詞であれば une utilité, une inutilité となる．

(086) 「彼の字は読みやすい」を反対語「読みにくい」illisible とする．「否，非，不」のニュアンスを持つ接頭辞 "in-" は，l の前では "il-"，r の前では "ir-"（例：「現実の」réel ↔ irréel），b, m, p の前では "im-"（例：「通す，透過性のある」perméable ↔ imperméable）となる．

(087) 「超，極，過剰」を意味する接頭辞 "extra-" を入れて，「普通の身長」を「並外れた背丈」une taille[4] extraordinaire[3] とする．副詞の ordinairement「普通，通常は」も頭に extra- を置くと「並外れて，すばらしく」の意味になる．

(088) connu(e)[4]「（よく）知られた，有名な」に対して méconnu(e) は「認められない（人），世に埋もれた（人）」の意味．接頭辞 "mé-" は「悪い，誤った」の含意．「（à や de に）知られていない，未知の」を意味する inconnu(e) も類語．

19 空欄に適語を入れなさい．

(089) この布は水を通さない．
Cette toile est imperméable.

(090) それはまったくの言い訳にすぎない．
C'est un prétexte, ni plus ni moins.

(091) 彼のコンピュータは古いですが，まだ使えます．
Son ordinateur est vieux, mais encore utilisable.

(092) カードを配るのはソフィーの番だ！
C'est à Sophie de distribuer les cartes !

(093) その結果には満足しています．
On est satisfait de ce résultat.

(094) 私には関係のないことだ．
Ce n'est pas mon affaire.

(095) あの別荘を安い値で手に入れた．
J'ai eu cette villa pour un prix modique.

(096) 私の給料は安い．
Mon salaire est maigre.

(089)「(水を) 通さない，防水加工の」を意味する形容詞 imperméable を入れる（→ cf. 086）．un imperméable は名詞で「レインコート」のこと．

(090) 男性名詞の prétexte を入れる．動詞「〜を口実にする」は prétexter．なお，ni plus ni moins は「それ以上でもそれ以下でもない，(まさに) そのもの」という成句．

(091) 動詞 utiliser から派生する utilisable で「使用できる」の意味（→ cf. 085）．「使用」は une utilisation，「利用者，ユーザー」は utilisateur(trice) と言う．

(092)「配る」distribuer（→ cf. 084）と入る．distribuer qch. (à qn.) の展開で「(人に) 〜を配る」．distribuer の代わりに donner も使えるし，「カードを配る」faire la donne という決まり文句もある．

(093) être satisfait(e) de qn. / qch. で「(人が) 〜に満足している」の意味．「(人にとって) 納得のゆく結果」としたければ un résultat[4] satisfaisant とする（→ cf. 083）．

(094)「事柄，問題，仕事」などを意味する affaire[4] を入れる（英語の *That's none of my business.* に類した表現）．regarder「関係する，かかわる」を用いた Cela ne me regarde pas. も同意になる定番の言いまわし．

(095) ご存知のようにフランス語には「安い」(英語の *cheap* に相当) という語がなく，pas cher(ère), bon marché[4] といった表現が使われる，ここは「謙虚な」の意味をもつ形容詞 modeste (あるいは modique, modéré(e)) と入れ「わずかな，安い，手ごろな」という文に．

(096)「痩せている」を意味する maigre[4] を入れる．modeste, modique といった形容詞にも置き換えられる（→ cf. 095）．なお，「給与が高い」と言いたいなら，J'ai un bon salaire. あるいは Je suis bien payé(e). が一般的．

仏検準2級～2級レベル　第13回　挑戦

下線の語の同意語を空欄に入れなさい．

(097)
Ce sont des verres en cristal véritable ?
Ce sont des verres en cristal au_____ ?

(098)
Je voudrais demander l'avis d'un expert.
Je voudrais demander l'avis d'un spé_____.

(099)
A ma grande surprise, elle est arrivée au bureau en retard.
A mon grand ét_____, elle est arrivée au bureau en retard.

(100)
On s'expose à un sérieux danger.
On s'expose à un sérieux ri_____.

a. b. がほぼ同じ意味になるように空欄に適語を入れなさい．

(101)
a. Ce film français est très banal.
b. Ce film français est d'une grande ba_____.

(102)
a. Louis écrit de la main gauche.
b. Louis est ga_____.

(103)
a. Cet homme se méfie beaucoup.
b. Cet homme est très mé_____.

(104)
a. Il est d'origine suisse.
b. Il est or_____ de Suisse.

(097) 「本物のクリスタル製のグラスですか？」と問う．形容詞「本物の」を意味する véritable の同意語 authentique が空欄に入る．

(098) 「専門家の意見が聞きたい」という文意．「専門家」expert（注：女性にもこの形が使われる）の類語「スペシャリスト」spécialiste（「プロ，本職」professionnel(le) という類語もある）が入る．「専門」は la spécialité, 形容詞の「特別な，特殊な」は spécial(ale)．[3]

(099) 「大いに驚いたことに，彼女は会社に遅刻した」とする．「（大いに）驚いたことに」à ma (grande) surprise [3] = à mon (grand) étonnement という関係．動詞の「驚かせる」はそれぞれ，surprendre, étonner [3] である．

(100) 「危険に身をさらされている」の意味にするのに，「危険」は danger, risque あるいは péril という男性名詞が使われる．「危険を冒す」という表現では courir un danger [risque, péril] が使われる．

(101) banal(e) 「平凡な，月並みな」（反対語は original(ale)）を意味する形容詞を名詞の banalité 「平凡さ，陳腐さ」（反対語は une originalité）にする．

(102) 「ルイは左手で書く」を「左利き」とする．gaucher(ère) と称される．「右利き」は droitier(ère). la gaucherie は「ぎこちなさ，不手際（= la maladresse）」を意味する語．なお，例文の de la main gauche の前置詞 de は「手段・道具（〜によって）」を意味する．なお，これを écrire à la main とすると écrire à la machine 「機械で書く」の反意で「手で書く」という表現になる．

(103) se méfier 「(de を)信用しない，疑う」という動詞から「疑い深い」という形容詞を導く．現在分詞から派生した méfiant(e) の男性形単数が入る．「不信，疑惑」は la méfiance.

(104) 「出身，生まれ」を意味する名詞から派生した形容詞 originaire 「(de の)出身の，生まれの」が入る（→ cf. 021, 028）．簡単に，Il vient de Suisse. とも言える．

🌐20 空欄に適語を入れなさい．

(105) 彼は死に瀕している．
Sa vie est en pé_____．

(106) 私の専攻は化学です．
Ma spé_____, c'est la chimie.

(107) 明治の人々が近代日本をつくった．
Les hommes de Meiji ont fait le Japon mo_____．

(108) このホテルには約100人の客が宿泊できる．
C'est un hôtel qui peut lo_____ 100 personnes environ.

(109) 足元に気をつけてください．
Mé_____-vous de la marche.

(110) 一昨日，バルザックを翻訳で読んだ．
J'ai lu Balzac en tra_____ avant-hier.

(111) 彼は伝統の重圧に苦しんでいる．
Il souffre sous la pression de la tra_____．

(112) セーヌはフランスで1番長い河ですか？
Est-ce que la Seine est le plus long fl_____ de France ?

(105) 「危険な状態に」の意味で en péril と en danger はほぼ同意（→ cf. 100）．「～を危険にさらす，危険に陥れる」と表現するときには mettre *qn. / qch.* en péril [danger] が使われる．

(106) 「専攻，専門」を意味する spécialité が入る（→ cf. 098）．動詞「専攻する」は〈se spécialiser dans [en] ＋専攻分野〉〈étudier spécialement ＋専攻分野〉といった言い方を使う．ただ，学生同士なら Tu es étudiant(e) en quoi ? と問うのが簡便．

(107) 「近代的な」を意味する形容詞 moderne[4] が入る．ただし，この語は「現代の」（＝ contemporain(e)）という意味で使われることも多い（例：le monde moderne「現代社会」，la science[4] moderne「現代科学」）．

(108) 「泊まる」「泊める」を意味する loger は，〈場所＋loger＋人〉の展開で「～が…人数を収容する」となる．同じ構成で recevoir[4] を用いても「(場所が) 収容する」という同意になる．名詞の un logement[3] は「居住，住まい，宿泊（＝ un hébergement）」の意味．

(109) 命令で Méfiez と入る．se méfier は「(de を) 信用しない，警戒する」の意味（→ cf. 103）だけでなく「～に気をつける，用心する」の意味でも使われる（例：Méfiez-vous, c'est très chaud.「気をつけて，これすごく熱いよ」）．

(110) traduction「翻訳」が入る（英語は *translation*）．faire une traduction で「翻訳する」（＝ traduire[3]）の意味．traducteur(trice) は「翻訳者」のこと．

(111) 「伝統」tradition が入る．形容詞は traditionnel(le)，副詞は traditionnellement（＝ de [par] tradition）．

(112) 「(海に注ぐ大きな) 河」は fleuve．une rivière はそれより規模の小さな「川」で un fleuve に注ぐ．un ruisseau はさらに小さな「小川」のこと．総称としての「河川」は le cours d'eau と呼ばれる．なお，フランスで最長の河は la Loire である．

仏検準2級〜2級レベル 第15回 挑戦

以下の空所に入るもっとも適当な語を a 〜 h からひとつ選びなさい.

a. agir　　b. compter　　c. entrer　　d. guérir
e. nettoyer　f. occuper　　g. rapporter　h. sentir

(113)
Il faut réfléchir avant d'_____.

(114)
Sa maladie ne veut pas _____.

(115)
Tu as fini de _____ ta chambre ?

(116)
Je vais _____ ces livres à Marie.

(117)
J'ai regardé la télé pour _____ le temps.

(118)
Il faut se dépêcher d'_____ des données.

(119)
On ne peut pas _____ sur Dominique.

(120)
Elle ne peut pas _____ sa belle-fille.

(113) 解答は a. agir[4] を入れて，「行動する前によく考えなければならない」とする．sans réfléchir[3] で「考えなしに，思いつきで」となる．

(114) 解答は d．「彼の病気はなかなか治りそうもない」としたいので，「(病気が) 治る」を意味する guérir が入る．名詞「回復，治癒」は la guérison．vouloir は物が主語で否定文になると「なかなか（どうしても）〜しない」という意味をもつ（例：Cette porte ne veut pas s'ouvrir．「このドアはどうしても開かない」）．

(115) 解答は e．「部屋の掃除は終わった？」とする．nettoyer が答え．「掃除，クリーニング」を意味する名詞 le nettoyage も基本語．

(116) 解答は g. rapporter (= rendre,[4] restituer) qch. à qn. で「人に物を返す」の意味．したがって例文は「マリーにこの本を返しに行きます」となる．「返却」という名詞には le renvoi, la restitution といった語が使われる．

(117) 解答は f．「暇つぶしにテレビを見た」としたい．occuper[4] le temps で「(時間を埋める→) 暇をつぶす」の意味．passer le temps「時間を過ごす」，tuer[4] le temps「時間を殺す」も同じく「暇をつぶす」の類義表現．

(118) 解答は c. se dépêcher[4] de inf. で「急いで〜する」の意味．例文は「急いでデータを入力しなくてはならない」となるよう，他動詞の entrer を入れる．通常，複数で用いられる données は donner の過去分詞から派生した名詞で「(集められたもの→) データ，資料」の意味．なお，パソコン用語は英語からの借用が少なくなく，たとえば「入力」は un input (= une entrée[4])，「出力」は un output と表現する．

(119) 解答は b．「ドミニクは当てにならない」の意味にしたい．compter[4] sur qn.「〜を当てにする」を入れる．compter pour qch. は「〜の価値がある」，compter avec qch. は「〜を考慮する」の意味．

(120) 解答は h. ne pas pouvoir sentir qn. (= ne pas supporter qn.) で「〜に我慢ならない，〜を嫌う」の意味．例文は「彼女は嫁に我慢ならない」の意味になる．

第16回 確認 仏検準2級～2級レベル

21 空欄に適語を入れなさい．

(121) この薬はすぐには効かない．
Ce médicament n' **ag**_____ pas vite.

(122) かつて，それは死亡率の高い病だった．
Dans le temps, c'était une maladie à forte **mor**_____.

(123) 返却期限はいつですか？
Quand est la date limite de **re**_____?

(124) このチケットは払い戻しできません．
Ce ticket ne peut pas être **rem**_____.

(125) ズボンをクリーニングに出した．
J'ai porté mes pantalons au **net**_____.

(126) 午前中は手があいています．
Je suis **dis**_____ toute la matinée.

(127) この薬は歯痛に効果がある．
Ce médicament est **ef**_____ pour les maux de dents.

(128)【諺】急がば回れ．
Hâ_____-toi lentement.

(121) 「行動する，振る舞う」の意味でひんぱんに使われる agir (→ cf. 113) には「(sur qn. / qch. に) 影響を及ぼす，作用する」の意味がある．解答は agit となる．代名詞動詞 s'agir は非人称構文で「～が問題だ，～に関することだ」(例: De quoi s'agit-il ?「何のことですか？，何の話ですか？」) となる大切な表現．

(122) 空欄には「死亡率」mortalité (= le taux de mortalité) が入る．反対語は la natalité．「出生率の低下」la régression de la natalité は大きな社会問題．

(123) 「返却期限」の意味では la date limite de renvoi [retour,[4] restitution] が使える．「返す」ではすでに触れた表現 (→ cf. 116) の他に「この雑誌を元の場所にお返し下さい」Remettez[3] cette revue[4] à sa place. といった言いまわしも記憶しておきたい．

(124) 「払い戻す」を意味する rembourser を受け身にした表現になるので，過去分詞 remboursé が空欄に入る．rembourser une dette なら「借金を返す」の意味．名詞 le remboursement は「返済，支払い，払い戻し」のこと．

(125) 「クリーニング」nettoyage が入る (→ cf. 115)．le nettoyage à sec は「ドライクリーニング」の意味．「クリーニング店(業)」は une blanchisserie と呼ばれる．なお，フランスには le pressing という蒸気を使って衣類をプレスする専門店 (仕上がりは速い) もある．

(126) 「暇な」の意味では être libre，「暇がある」なら avoir du temps，「～する暇がある」なら avoir le temps de inf. が頭に浮かぶが，ここは「暇な，手があいている」を意味する disponible[3] を入れる．「(すぐにでも) 自由に使える」の語義も重要 (例: un appartement disponible「空きマンション」)．

(127) 「(物が) 効果のある」を意味する形容詞 efficace を入れる．人に用いれば「有能な，役に立つ」のニュアンス．名詞は une efficacité で「効果，有効性」を意味する．なお，effectif(ve) をここに入れるのは不自然．たしかに effectif(ve) には「有効な，効果のある」という意味もあるが，それは主に「(法的，経済的)効力を持つ」というニュアンスで使われるからである．

(128) 「急ぐ」は se dépêcher (→ cf. 118), se presser[4] あるいは se précipiter の他にやや文語的だが se hâter がある．ここはその命令で Hâte-toi lentement.「ゆっくり急げ」となる．ラテン語〈festina lente〉の仏語訳である．

仏検準2級〜2級レベル 第17回 挑戦

和訳を参照しながら，以下の空所に入るもっとも適当な語を a 〜 h からひとつ選びなさい．

a. aise　　　b. chômage　　c. conférence　　d. foyer
e. habitude　f. intérêt　　g. réception　　h. vigueur

(129) 失業中です．
Je suis au　　　　．

(130) 部長は会議中です．
Monsieur le directeur est en　　　　．

(131) 日に2時間はヴァイオリンを弾くことにしている．
J'ai l'　　　　de faire deux heures de violon par jour.

(132) 父が私に無利子で金を貸してくれた．
Mon père m'a prêté de l'argent sans　　　　．

(133) すてきな家庭を築いてください．
Je vous souhaite de fonder un heureux　　　　．

(134) 佐々木夫妻のために歓迎会を催した．
Nous avons donné une　　　　en l'honneur de M. et Mme Sasaki.

(135) 彼はいつも精力的に行動する．
Il agit avec　　　　tout le temps.

(136) どうぞお楽に．
Mettez-vous à l'　　　　．

(129) b が入る．être au chômage[3] で「失業中である」あるいは「失業手当を受けている」の意味．「失業する」という動詞は chômer，chômeur(se) は名詞なら「失業者」，形容詞であれば「失業中の」の意味．したがって，例文は Je suis chômeur(se). とも表現できる．

(130) c が入る．conférence[3]「会議，協議，講演，講義」．être en conférence で「会議中である」の意味．類語に une réunion[4]「会合」，un congrès「(学術・外交の) 会議」，「集会・大会」を指す une assemblée などがある．

(131) e が入る．「(個人的な) 習慣」を意味する habitude[4] を用いて avoir l'habitude de *inf.* とすると「～することに慣れている，～する習慣がある」を表す熟語．d'habitude「普段は，いつもは」も頻度の高い決まり文句．

(132) f が入る．「関心，興味，(物事の) 面白さ，重要性，同情，利益」など intérêt[3] はいろいろな意味をもつ多義語．ここでは「利子」の意味．

(133) d が入る．「家庭，世帯」を意味する foyer は fonder[3] un foyer とすると「家庭を築く」(反対語は briser un foyer で「家庭を壊す」) あるいは「結婚する」の意味になる．例文は Je vous souhaite[4] de fonder une famille heureuse. としても同意．

(134) g が入る．「(ホテルの) 受付」の意味でなじみのある réception (「受付係」は réceptionniste と呼ばれる) は「もてなし，歓迎」の意味でもある．その単語を使って，donner une réception en l'honneur de *qn.* とすると「～に敬意を表して歓迎会をする」という定番の言いまわしになる．

(135) h が入る．「(精神的・肉体的) 力強さ」(= la vitalité) を指す vigueur は avec vigueur とすると「精力的に」(= énergiquement) の意味になる．

(136) a が入る．「気楽，くつろぎ」aise[3] を用いる，à l'aise の表現は「気楽に，楽に」(= confortablement) を意味する頻度の高い成句．定冠詞を所有形容詞に置き換えて，Mettez-vous à votre aise. としても同意．

仏検準2級〜2級レベル 第18回 確認

22 空欄に適語を入れなさい．

(137) この歴史小説であなたは有名になるでしょう．
Ce roman historique vous rendra cé_____ .

(138) その芝居には大いに関心がある．
J'ai un grand in_____ pour cette pièce de théâtre.

(139) 彼女が何を言いたいのか分からなくて困る．
J'ai de la pe_____ à comprendre ce qu'elle veut dire.

(140) 妻は働いていません．
Ma femme reste au f_____ .

(141) 彼はプールに飛び込んだ．
Il a pl_____ dans la piscine.

(142) 私たちは繰り返し会合を重ねた．
Nous avons multiplié les ré_____ .

(143) 娘は水のスポーツが好きだ．
＊「水のスポーツ」とは水泳やボート競技などを含む，水にかかわるスポーツ全般を指す．
Ma fille aime les sports nau_____ .

(144) このタンスを動かすのを手伝って．
Aide-moi à dé_____ cette armoire, s'il te plaît.

(137) これまで何度かでてきた rendre[4] を用いた典型の文例.「有名な」という形容詞 célèbre[3] (= bien connu(e), fameux(se)[4]) が入る. 名詞の「有名, 名声, 名士」は la célébrité (アクセントの向きに注意).「(人が) 有名になる」は devenir célèbre, parvenir à la célébrité といった言い方をする.

(138) avoir un grand [vif[3]] intérêt[3] pour qch. で「〜に大きな関心を持つ」の意味 (→ cf. 132). この文章は intéresser「(人の) 関心を引く」を用いて Cette pièce de théâtre m'intéresse beaucoup. とも, 代名動詞「〜に関心がある」を用いて Je m'intéresse beaucoup à cette pièce de théâtre. とも書き換えられる.

(139)「心痛, 労苦」を意味する peine[4] を空欄に入れる. avoir de la peine à *inf.* (= avoir des difficultés[4] à *inf.*) で「〜しがたい, 〜するのが難しい」という意味.

(140) rester au foyer (= être au foyer) で「(主婦などが) 働きに出ない, 家庭にいる」という意味. une femme au foyer で「専業主婦」のこと (→ cf. 133).

(141) plonger は「(水に) 飛び込む, (水中に) 潜る」を意味する動詞. ここは複合過去で plongé と入る. 少々レベルは高いが, plongeur(se) は「ダイバー」, le plongeon は「飛び込み, ダイビング」, la plongée は「潜水」の意味.

(142) avoir [faire, organiser[3]] une réunion で「会合を開く」の意味. これを multiplier les réunions とすると「会合を重ねる」という表現になる (→ cf. 130).

(143)「水上の, 水中の」の意味する形容詞 nautique の複数 nautiques が解答. "naut-"「航海の」を意味するギリシア語から.「陸上の」は terrestre と言う.

(144) déplacer で「移動させる, 動かす」あるいは「(家具類を) よそに移す, 運び出す」という他動詞 déménager[3] が空欄に入る (déménager は自動詞では「引っ越しする」の意味). 前者の名詞は le déplacement で「移動」また「出張, 旅行」の意味. たとえば, être en déplacement で「出張中である」(= être en voyage d'affaires[4]) となる. 後者の名詞 le déménagement は「引っ越し」のこと.

仏検準2級〜2級レベル 第19回 挑戦

以下の空所に入るもっとも適当な語を a 〜 h からひとつ選びなさい．

a. généralement b. mutuellement
c. patiemment d. prudemment
e. fériés f. fréquentés
g. raisonnables h. sonnées

(145)
Ma femme et moi, nous nous détestons _____ .

(146)
Elle conduit _____ .

(147)
Mon père prend _____ un verre de whisky avant de se coucher.

(148)
Elle m'attendait _____ .

(149)
En France, il y a combien de jours _____ par an ?

(150)
Dans cette boutique les prix sont _____ .

(151)
Certains quartiers de Shinjuku sont très _____ la nuit.

(152)
Il est onze heures bien _____ .

(145) b を入れて「妻と私は，互いに嫌っています」の意味にする．mutuellement でも réciproquement でも，あるいは l'un l'autre としてもこの文であれば同意．もちろん，主語が複数でなければ使えない単語である．

(146) d が入る．「彼女は慎重に運転をする」としたい．prudemment「慎重に，用心深く」(= avec prudence)，名詞は la prudence で avoir la prudence de *inf.* の形で「慎重を期して～する」の意味，形容詞は prudent(e)．

(147)「一般に，普通」の意味になる a の généralement (= en général) を入れて，「父は普通，寝る前にウイスキーを一杯飲む」とする．généralement parlant なら「一般的に言えば」の意味．動詞 généraliser [4] は「一般化する」，代名動詞 se généraliser は「普及する，蔓延する」の意味．

(148) c を入れる．la patience [3]「忍耐，我慢」，patient(e)「我慢強い」，patienter「(辛抱強く) 待つ」と同系列の副詞 patiemment．和訳は「彼女は私を根気よく待っていた」となる．

(149) e は「祭日の，休日の」を意味する形容詞 férié(e) の男性複数の形，le jour férié (= la fête) で「祭日，祝日」の意味．例文は「フランスには年に何日祭日がありますか？」という質問になる．なお，「国民の祝日」は la fête nationale [3] と称する．

(150) g を入れて「この店は，価格が手ごろだ」となる (Cette boutique n'est pas chère. とも書ける)．raisonnable は「常識にあった，妥当な，分別 [思慮] のある」という形容詞．un prix raisonnable は「手ごろな価格」，un enfant raisonnable なら「聞き分けの良い子」．副詞は raisonnablement．

(151) fréquenté(e) [3] の男性形複数である f が入る．「新宿の一画は，夜，とても人通りが多い」という文になる．なお，「繁華街」は un quartier fréquenté (= un quartier animé [3]「にぎやかな界隈」) と言う．un restaurant fréquenté なら「はやっているレストラン」のこと．

(152) h を入れて「11時をだいぶ過ぎている」とする．sonné(e) [3] は「(時間や年齢などが) 過ぎた，経過した」という形容詞．現在分詞派生の形容詞 sonnant(e) は「(時刻が) ちょうどの」意味．(例：Je me couche à 23 heures sonnantes (= 23 heures pile [juste, précises [3]])「ちょうどに夜の11時に寝る」．

第20回 確認 仏検準2級〜2級レベル

○23 空欄に適語を入れなさい．

(153) 疫病がその地方全体に広まった．
L'épidémie s'est gé_____ dans toute la région.

(154) 私たちは微妙な立場にいる．
Nous nous trouvons dans une situation dé_____.

(155) このタオルは洗うと縮む．
Cette serviette rétrécit au la_____.

(156) 人間は理性の動物だ．
L'homme est un animal rai_____.

(157) この書物は大きな墓場である．
Ce livre est un grand ci_____.

(158) 彼のインフルエンザ（流行性感冒）が肺炎になった．
Sa gri_____ a tourné en pneumonie.

(159) 長い間辛抱したかいがあった．
J'ai été récompensé de ma longue pa_____.

(160) 目的地に着いた．
On est arrivé à de_____.

(153) se généraliser で「普及する，蔓延する（= se répandre）」（→ cf. 147）．空欄には過去分詞が直接目的語と性数一致した形 généralisée が入る．名詞は une généralisation で「一般化，普及」の意味．

(154) 「（複雑で難しく）微妙な」を意味する délicat(e) の女性単数形が入る．「（細微さをともなう）微妙な」subtil(e)（例：une différence subtile「微妙な差異」），「（表現しにくい）微妙な」indéfinissable（例：un sentiment[4] indéfinissable「微妙な思い」）などが類語．

(155) 「洗濯」を指す le lavage（= la lessive）が入る．「洗濯する」は faire la lessive, laver le linge[3]．「洗濯のきく」という形容詞は lavable．なお，rétrécir は他動詞で「狭くする，縮ませる」，自動詞で「小さくなる，縮む」の意味（反対語：s'étendre[3]）．

(156) 「理性を備えた，分別のある」raisonnable が入る（→ cf. 150）．古来，「人間は」ではじまる名言・名句は数多くある．L'homme est un roseau pensant.「考える葦」(**Pascal**)，L'homme est un chêne.「一本の樫」(**Lautréamont**)，L'homme est une passion inutile.「無益な受難」(**Sartre**) 等々．

(157) 「墓場」cimetière が入る．広義の「墓所」は une sépulture．「墓（墓穴，墓石）」は une tombe, 「墓碑」は un tombeau．なお，この例文は **Proust** の小説『失われた時を求めて』に書かれた芸術論をアレンジしたもの．

(158) 「風邪」は un rhume（= un coup[4] de froid），「ウイルス性の風邪（あるいは発熱する風邪）」は grippe[3] を入れる．ただ，通例「風邪を引く」には prendre [attraper[3]] froid が使われる．rhume，ましてや grippe に感染した状態では会話を交わす余裕はなかなかない．なお，A tourner[4] en [à] B で「A が B に変わる（なる）」の意味．

(159) 例文は récompenser「（人に）報いる」を受け身にしたもの．「辛抱，忍耐」を表す patience が入る（→ cf. 148）．動詞「我慢する」は prendre patience（= patienter），さらに「耐え忍ぶ」のニュアンスでは supporter（例：supporter son sort[3]「運命に耐える」）が使われる．

(160) arriver à destination[3] で「目的地に着く，達する」の意味（注意：destination に冠詞は不要）．arriver à son but [ses fins[4]] は「目的を達する」（= atteindre[3] son but）の意味．ついにここまで来ました．159 の一言とともに，On est arrivé à destination. というわけであります．

インデックス

※単語や熟語あるいは表現を説明したページ，つまり「解説ページ（右ページ）」が探せます．

※綴りだけでは他の語と混同されかねない単語には（ ）で訳語を添えました．

※人称代名詞・冠詞ならびに数詞は掲載していません．

[A]

abandon   103
abandonner (s'abandonner)   69, 75, 103
abord (d'abord)   15
aboutir   93
absent(e)   45
accélérateur   79
accélérer   79
accès   73
accident   13, 61
accompagnement   109, 113
accompagner   109
accord (d'accord)   39
accueillir   59
acheter   17
acide   25
admirateur(trice)   105
admiration   105
admirer   105
adorer   53
adresse   87, 95
adroit(e)   95
adroitement   87

affaire   33, 39, 69, 125
afficher   69
affirmatif(ve)   93
afin   75
agence   95
agenda   95
agent   117
agir (s'agir)   131, 133
agréable   121
aigre   25
aimable   23, 29, 33
aimer   23
air   17, 25
aise   71, 75, 135
aller   3, 55
allonger   21
allumer   21, 81
allumette   21
allure   115
âme   53
améliorer   67
américain(e)   11
ami(e)   21, 43, 57, 93, 105
amour   37, 71
an   79
ancien(ne)   35, 77
animal   9, 53
animé(e)   89, 139
année   83
anniversaire   53, 95
annuel(le)   79, 83
an   55, 105

antipathique   121
août   61
apparaître   73
apparemment   73
apparence   73
appartement   71, 105, 133
appétit   117
application   27
appliquer   27
apposer   103
appréciation   121
apprécier   121
appuyer   103
après   7, 11, 13, 37, 41
après-midi   59
argent   7, 115
arrêt   77
arrêter   29
arriver   81, 141
art   49
artichaut   119
article   37
artifice   73
aspirateur   77
assemblée   135
asseoir (s'asseoir)   37, 111
assiette   33, 95
ATM（英語）   25
attacher   107, 113
atteindre   81, 141
attendre   15, 53
attention   5, 35, 87
attitude   69
attraper   11, 141
aucun(e)   11, 17, 21, 59, 75

augmentation   77
augmenter   77, 83, 113
aussi   43
authentique   127
automatique   25, 111
automobiliste   7, 69
autorisation   93
autorisé(e)   47, 117
autoriser   93, 117
autour   21
autre   71, 139
autrement   71, 75
avance   37, 45, 47, 115
avancer   115
averse   55
avion   45
avis   7, 65
avoir   61

[B]

bain   97, 103
baisse   77
baisser   111
banal(e)   127
banalité   127
banc   111
banlieue   63
banque   115
bas(se)   115
base   47
bâteau   99
bâtiment   17
bavard(e)   63
bavarder   63
beau (bel, belle)   49, 73, 89, 99

beau-/belle-家族を表す名詞　99
beaucoup　3, 13, 23, 25, 29, 35, 47, 49, 137
bébé　33, 77
bête　119
bicyclette　111
bien　3, 33, 37, 39, 43, 55, 71, 75, 79, 125, 137
bientôt　109
billet　25, 77, 95
bizarre　81
blanc　121
blanchisserie　133
blog　37
bœuf　67
boisson　67
boîte　111
bon(ne)　3, 17, 39, 67, 85, 117, 119, 125
bonheur　3, 71
botte　49
boucherie　87
boucler　113
boulanger(ère)　87
boulangerie　87
Bourgogne　85
bouteille　25
boutique　139
bouton　103
brave　119
briser　135
brouillard　61
brûler　89
bruyant(e)　119
bureau　39, 41

bus　27
but　75, 141

[C]

ça　9, 41, 65
cadeau　57, 109
café　47, 65, 121
calcul　49
calculer　49
calme　89, 119
calorie　91
campagne　5, 63, 87
candidat(e)　81, 117
car　35, 91
caractère　39, 41, 119, 123
carotte　119
carrefour　105
carte　83
casser　41
cause　41
céder　69, 75
ceinture　113
cela　9, 125
célèbre　85, 97, 137
célébrité　85, 97, 137
celle-là　25
cent　77, 81, 111
certain(e)　13
certificat　75
cesse　77
cesser　69
chœur　59
chaleur　7, 9
chambre　73, 91, 97, 121
chance　3

changer 87	claire 97
chanson 59	classe 109
chanter 59, 115	client(e) 57
chaque 77	clientèle 63
charmant(e) 75, 97	climat 41, 77
charme 97	climatisation 77
charmer 97	climatisé(e) 77
chaud 7, 9, 129	cœur 25, 53, 119
chauffeur 7, 69	coffre 111
chaussette 49	coffre-fort 111
chef 91	coktail 89
chemins 5	colère 53
chêne 141	colis 55
cher(ère) 77, 125, 139	collant 49
chercher 93	colle 69
chéri 79	collège 77
cheveux 121	collègue 77
chez 13	coller 69
chien 29, 35, 45, 53	collier 55
chips 41	combien 27
chocolat 17, 57	comme 5, 9, 17, 21, 57, 61, 67, 119
choisir 65	commencer 83
choix 65, 67	comment 49, 53, 73
chômage 61, 135	commercial(e) 5
chômer 61, 135	commissariat 117
chômeur(se) 61, 135	compagnie 5
choquer 91	complet(ète) 7, 9
chou 119	complètement 7
ciel 73	compliqué(e) 27
cigare 27	compliquer 27
cigarette 27, 111	comporter (se comporter) 71
cimetière 141	composé(e) 71
cinéma 111	composer (se composer) 71, 111
cinq 115	comprendre 67
cinquantaine 117	compte 115

compter　71, 81, 131
conclusion　93
concours　17
conduire　9, 11, 61, 93
conférence　63, 135
confiance　81, 109
confortablement　135
congrès　135
connaître　83
connu(e)　85, 123, 137
conseil　47, 109
conseiller　13, 47, 109
consentir　63
consigne　111
consister　71, 75
consommation　113
consommer　113
consulter　93
contact　15
contemporain(e)　129
contenir　25
content(e)　35, 45, 63, 67, 111
contenter　63, 67
contrat　113
contre　11, 83, 115
contribution　113
contrôle　77
contrôleur(se)　77
convenir　37, 41
copain（copine）　37, 77
corps　53
couard　119
couleur　55, 75
coup　141
couper　85

courage　19, 119, 121
courageux(se)　63
courant(e)　21
courant（流れ）　61
courir　127
cours　61, 63, 109, 129
course　103
cousin(e)　45, 97, 115
coûter　57
couvrir　3, 85
craindre　23, 25, 35
crème　119
crêpe　67
cri　21, 91
crier　21
crime　83
croisement　105
croiser　105
croissance　83
croissant　87
croître　83
cru(e)　107
cuisine　97
curieux(se)　9, 81
cycliste　69

[D]

danger　33, 127, 129
dangereux(se)　63, 105
date　133
débat　71, 93
début　107
décider　123
décisif(ve)　123
décision　123

décoller   69
découvrir   3, 9
dedans   73
défaut   29, 33
défendre   3, 9
défense   69, 85
dehors   73
délicat(e)   141
demain   13, 45, 59, 85
demander   3
démarrer   85
déménagement   137
déménager   63, 137
dense   49
dent   115
dépêcher (se dépêcher)   131, 133
déplacement   137
déplacer   137
déplaisant(e)   121
déposer   89, 115
depuis   55
dernier(ère)   11, 35, 45, 63, 79, 83
désagréable   121
désert(e)   89, 91
déshabiller (se déshabiller)   121
désolé(e)   5, 53, 97
désormais   95
dessert   65, 89
dessin   89
destin   79, 91
destination   141
détour   97
détruire   55
dette   133
devant   57, 61, 85

développer (se développer)   33
devenir   41, 75, 137
devoir   53
dictionnaire   93
dieu   79
différence   55, 141
difficile   39
difficulté   137
digne   81, 83
diminuer   113
diplôme   75
dire   3, 43, 65
directeur(trice)   17
direction   11, 27
diriger   11, 17, 27
discret(ète)   71
discrètement   71
discussion   71
disponible   25, 133
disposition   19
distinguer   55
distribuer   123, 125
distributeur   25, 111, 123
distributif(ve)   123
distribution   123
divorce   45
divorcer   45
dizaine   117
doctorat   19
document   29
domaine   87
domicile   59
donne   125
donner   109, 113, 125, 131, 135
dossier   9, 19, 25

douleur 27, 33
doute 21
doux(ce) 19, 25
droit (法学) 19
droit (権利) 67
droitier(ère) 127
drôle 75
dur(e) 29, 79
durée 59
DVD 57

[E]

échapper 91
éclairer 31
éclater 31
école 3, 65, 99
économie 83
écraser (s'écraser) 45
écrire 103, 127
édifice 17
eau 33, 87
effectif(ve) 133
efficace 133
efficacité 133
effort 59
égalité 123
élection 117
électronique 95
élève 59
éloigner (s'éloigner) 35
embouteillage 19
embouteiller 19
émettre 43
émission 43
emploi 83

emporter 11
emprunter 103
encore 13, 25, 39, 87, 95, 107
encouragement 19, 121
encourager 121
endroit 27, 59
énergiquement 135
enfance 93
enfant 7, 19, 29, 93, 139
enfin 15, 37, 59
enfourcher 111
enfuir (s'enfuir) 107
enlever 89
ennuis 19
ennuyeux(se) 93
énormément 29
enragé(e) 53
entendre 91
entier(ière) 67
entre 55, 65
entrée 11, 21, 131
entrepôt 87
entreprise 5, 17
entrer 131
entretenir 37
entretien 37
enveloppement 85, 109
envelopper 33, 85, 109
envers 23
envie 41
épais(se) 49, 61, 67
épaisseur 61
épouser 45
erreur 91
espoir 79, 83

esprit 53, 73, 123
essence 5, 41, 77
estime 105
et 29, 43, 53, 55, 65, 85
étage 73
etc 141
été（夏） 79
éteindre 21, 81, 83, 93
éternel(le) 71
étiquette 27
étonnement 127
étonner 9, 127
étrange 81
étranger（外国） 47
étranger(ère) 81
être（存在） 67
étudiant(e) 9, 105, 129
étudier 129
euro 57, 79
Europe 79
événement 5
évidemment 39
exagération 33
exagérer 27, 33
examen 17
excellent(e) 11
exceptionnellement 13
exciter 27
excuser 27, 93
exercer (s'exercer) 107
exercice 107
exister 45
expert(e) 127
expliquer 63
exporter 47

exprimer 39
extraordinaire 5, 123
extraordinairement 5

[F]

face 99
facile 73
façon 17, 71
facteur(trice) 55
faire 19, 35, 43, 45, 49, 53, 55, 59, 67, 107, 109, 111, 113, 121, 125, 129, 137, 141
falloir (il faut) 9, 11, 35, 41, 49, 75
fameux(se) 59, 137
familier(ère) 21
famille 135
faute 23, 29, 45
faux (fausse) 115
faveur 61
femme 69, 75, 121, 137
fer 11
férié(e) 139
fermer 107
fête 53, 79, 139
fêter 53
feu 53, 73
fiction 105
fille 3, 49
film 11, 43, 71, 85, 111
fils 49
fin 15, 47, 75, 141
final(ale) 15
finalement 15, 37
fin(e) 49
flamme 55

fleur   49
fleuve   129
flic   117
foie   43
fois   99
fondateur(trice)   65
fondation   65
fondé(e)   65
fonder   65, 135
forcé(e)   13
forcer   13
fort(e)   49
fortune   45, 49
foule   57
foyer   135, 137
frais   67
fraise   91, 121
français（フランス語）   99
France   99
franchement   103
frapper   45
fraternité   123
frein   43
freiner   43
fréquemment   11
fréquent(e)   43
fréquenté(e)   43, 139
fréquenter   43
frère   39, 45, 77
frileux(se)   103
froid   3, 37, 141
fruits   33
fumer   3, 9, 75
fureur   59
furieux(se)   53, 59

[G]

gagner   109
gai(e)   63
garder   121
gare   35, 79, 97
gâteau   53, 91
gauche   127
gaucher(ère)   127
gaucherie   127
gaz   5
gêner   65
général   13, 31, 139
généralement   13, 31, 139
généralisation   141
généraliser (se généraliser)   139, 141
généreux(se)   73, 95
génial(ale)   3
genre   71, 75
gentil(le)   3, 29, 53
géographie   107, 109
géographique   107
géométrie   107
geste   63, 67
goût   85, 115, 117
goûter   85
gouvernement   19
gouverner   19
grâce   75
grand(e)   27, 67, 87, 99, 105, 127, 137
grandir   87
gras(se)   43, 49
grave   5, 49
Grèce   41
grève   55

grippe   141
gris(e)   43
grondement   53
gronder   53
gros(se)   41, 43, 45, 87, 79
grossir   87, 91
guérir   131
guérison   131
guerre   31, 75, 103
guichet   25

[H]

habilement   87
habillé(e)   121
habiller (s'habiller)   17, 121
habiter   63
habitude   135
habituel(le)   5
habituellement   13
hasard   3
hâter (se hâter)   133
haut(e)   91, 97
hébergement   129
heure   7, 13, 31, 33, 41, 89, 139
heureusement   3, 13
heureux(se)   33, 93, 119, 135
hier   29, 41
histoire   61, 103, 105
historique   17, 89
hiver   109
homme   5, 9, 17, 49, 67, 89, 93, 141
honneur   3, 135
horaire   117
horreur   85
horrible   85, 91

hors   21, 25
hostile   23, 25
hostilité   29
hôtel   27, 69, 91
huile   5, 87
humain(e)   61, 67, 105

[I]

ici   63, 85, 95, 105
idéal(ale)   57, 59
idée   39, 57
identité   83
ignorance   43
ignorant(e)   43
ignorer   43
île   59, 91
illisible   123
illumination   73
illuminer   73
immédiat   39
immédiatement   39
immobilière   95
imperméable   123, 125
important(e)   41, 69
importer   47
impôt   111, 113
inconnu(e)   123
indéfinissable   141
indifférent(e)   81
indiquer   43
inférieur(e)   57, 59
informé(e)   85
informer   85
inquiet(ète)   45, 49
inquiéter (s'inquiéter)   49

insister   81
instrument   35, 109
insulter   81
intellectuel(le)   55
interdire   13
interdit(e)   47, 85
intéresser   137
intérêt   11, 17, 135, 137
interprétation   77
interruption   77
intime   21
inutile   59, 89, 123, 141
inutilisable   123
inutilité   123
invité(e)   59
inviter   59
irréel   123

[J]

jamais   75
jambes   115
Japon   83
japonais(e)   65
jeter   5, 89, 103
jeunesse   93
jeu   121
joie   95
jouer   55
jour   25, 27, 35, 37, 45, 77, 99, 139
joyeux(se)   95, 99
joyeusement   99
judo   55
jugement   27
juin   83
jusque   91, 95

juste   23, 25, 33, 63, 139
justement   23, 25

[K]

Kyoto   3

[L]

là   5
lac   45, 69
lâche   95, 99
lâcher   95
laid(e)   89, 91
laideur   91
laisser   11, 107
lampe   31
langue   11, 21, 99
latin(e)   105
lavable   141
lavage   141
lave-linge   11
laver   11, 141
leçon   107, 109
lecteur(trice)   23
lecture   23, 57
léger(ère)   61, 119
légèrement   119
légèreté   119, 121
légumes   17, 87
lent(e)   73, 79, 83
lentement   15, 29, 133
lessive   141
lettre   9
lever   95
libéral(ale)   27
liberté   17, 123

libre   7, 133
librement   123
licence   19
limite   133
linge   11, 141
lion   67
lire   23, 37, 103
lisse   49
lit   121
litre   25
living   97
livraison   23, 59
livre   17, 23, 25, 59, 61
livrer   59
location   111
logement   67, 129
loger   129
loi   71
loin   5, 107
Loire   129
Londres   25
long(ue)   21
louer   103, 105
lourd(e)   61, 73, 119
lourdement   119
lourdeur   61, 119
loyer   111
lumière   31
lunette(s)   55

[M]

machine   11, 29, 127
magasin   31, 49, 57
magnifique   89
maigre   87, 125
maigrir   87
maillot   103
main   7, 13, 27, 95, 127
mais   5, 25
maison   55, 59, 83, 105
maîtrise   19
mal   3, 27, 31, 39, 47, 69, 71
malade（病人）   15
malade（病気の）   43
maladie   41, 49
maladresse   95, 127
maladroit(e)   95, 99
malheur   3, 75
malheureusement   3, 13
malpropre   33
manger   15, 67, 97
manière   15, 17
manifestation   55
manquer   15, 27, 87, 117, 123
manteau   41, 121
manuel   113
marché   125
mari   99
mariage   45
marié(e)   45, 97
marier (se marier)   45
marquer   27
match   103
maternel(le)   11, 21, 95, 99
maths   49
matière   105
matin   55, 59, 85
matinée   43
mauvais   39, 75, 117
méchant(e)   29, 53

méconnu(e)　123
médecin　3, 47, 95
médicament　99
méditer　57
méfiance　127
méfiant(e)　127
méfier (se méfier)　127, 129
meilleure　91
membre　41
même　67
ménager　63
mener　5, 9, 93
mensonge　31, 65
mensonger(ère)　31
mensuel(le)　79
mentir　65, 67
menu　67
mer　59
mérité(e)　59
mériter　57, 59
mesdames　77
message　5
messieurs　77
mesure　19, 91
météo　13, 17
métier　35
mettre　5, 33, 37, 47, 75, 129
mieux　75
mille　77, 81
milliard　77
millier　77
million　77
mince　49, 61
mine　59
ministre　25

minute　35, 115
misérable　11, 99
misère　99
mission　43
mode（ファッション）　79
mode（方法）　113
modéré(e)　125
moderne　129
modeste　69, 125
modique　125
moindre　21
moins　95, 125
mois　59, 63
moitié　15, 17
Monaco　27
monde　33, 49, 129
monsieur　17, 33
montagne　47, 91
monter　11, 111
montre　69, 113
montrer (se montrer)　69
monument　17, 89
moquer (se moquer de)　49
morceau　47
mortalité　133
mot　45, 63, 93, 99
mouchoir　41
moutarde　85
moyen　91
multiplier　137
mûr(e)　79, 83, 115
mur　69
mûrir　79, 83
musique　35
mutuellement　139

[N]

naissance 95, 99
nasal(ale) 95
natal(e) 95, 99
natalité 133
national(e) 139
nature 49
naturel(e) 61, 85
nautique 137
nécessaire 19
négatif(ve) 93
nerf 35
nerveux(se) 35, 41, 95
nervosité 35
net(te) 33
nettoyage 131, 133
nettoyer 131
neuf(ve) 79
nez 95
ni 89, 125
nièce 115
noble 67
Noël 95
noix 41
nombre 81, 83
nombreux 13, 45
normal(ale) 81
normalement 13, 31
notre 3, 29, 33, 45, 75, 83
nouvelle（知らせ）9

[O]

objet 49
obligé(e) 13
obliger 13
obtenir 75, 87
occuper 131
odeur 85
on 31
opinion 25
opposé(e) 25
optimisme 119
orage 55, 107
ordinaire 5
ordinairement 123
ordure 89
oreille 115
organiser 3, 137
organisme 3
orientation 115
originaire 109, 127
original(ale) 109, 127
originalité 127
origine 75, 107, 109
orthographe 29
ou 33
oublier 83
outil 109
ouvert(e) 63
ouverture 31, 71
ouvrage 31
ouvrir 9, 31, 59, 105

155

[P]

pain　47
panne　25, 77, 83
pantoufle　49
papeterie　87
papier　85, 109
paquet　27, 111
par　3, 45, 63
parc　121
pardonner　93
parent　31
paresse　93
paresseux(se)　35, 93, 99
parfait(e)　57
Paris　17, 41, 43
parking　47
parlement　19
parler　99, 139
partir　25, 79
parvenir　91, 137
passer　11, 131
passion　141
paternel(le)　99
patiemment　139
patience　139, 141
patient(e)（患者）　15
patient(e)（我慢強い）　15, 139
patienter　139, 141
pauvre　79
pauvreté　99
payer　113
pays　25, 27, 47, 77, 95, 109
paysage　75
peau　49

pêche　83
peine　27, 137
perdre　41, 107, 117
père　29, 33, 49, 67
péril　127, 129
permanent(e)　71
perméable　123
permettre　117
permission　43
pessimisme　119
pessimiste　119
petit(e)　21, 37, 41, 49, 53
peu　31, 47, 67, 89
peuplé(e)　89
peuple　89
peupler　89
peur　63
peureux(se)　119
phrase　87
piano　107, 109
pièce　71, 83, 97, 137
pied　47, 115
piéton　69
pile　139
pitié　63
pizza　65
place　7, 69, 91, 133
plafond　97
plage　89
plaire　11, 113
plaisir　33, 67
plat　43
pleuvoir　61, 77, 85
plongée　137
plongeon　137

plonger   47, 137
plongeur(se)   137
plupart   97
plus   19, 33, 43, 45, 63, 77, 79, 83, 91, 125
poêle   87
point   79, 81
poire   119
poli(e)   53
police   117
poliment   53
politesse   53
politique   27
pomme   15
porte (ドア)   31
porter   49, 117
poser (se poser)   15
positif(ve)   93
posséder   45, 49
possession   45
possible   85
pour   75
pourquoi   5
pousser   21, 103, 105
pouvoir   17, 131
pratiquer   55
précaution   87, 91
précieusement   41
précieux(se)   35, 41, 109
précipiter (se précipiter)   133
précis(e)   33, 139
prendre   15, 33, 35, 37, 91, 99, 107, 141
préparer   3
près   69, 105, 107

présence   61, 67
présenter (se présenter)   17, 117
président   37
presse   17
presser (se presser)   103, 105, 133
pressing   133
prêt(e)   35
prêter   103, 105
prétexte   125
prétexter   125
prévision   13
prévoir   13, 17
prévoyance   13
principal(ale)   27
priver   93
prix   27, 57, 77, 139
probable   85, 91
probablement   91
problème   73, 79
prochain(e)   107
proche   107, 109
production   113
produire   111, 113
prof   53
professeur   53, 63
profession   35
professionnel(le)   127
programme   43
projet   37
promener (se promener)   5
propos   7, 49
proposer   3, 13
proposition   33
propre   7, 27, 33
protection   75

157

provisoire   71
prudemment   139
prudence   87, 139
prudent(e)   139
public(que)（公共の）   25, 41
public（公衆）   61
publier   103
pur(e)   25

[Q]

quai   17
quand   75
quartier   105, 139
que (qu'est-ce que)   9, 85
quel(le)   9, 27, 35, 37, 43, 95, 99, 119
question   15, 21, 75
qui   67, 69, 99, 115
quoi   129, 133

[R]

raccourci   97
raison   33, 61
raisonnable   139, 141
raisonnablement   139
ralentir   79, 83
ramassage   89
ramasser   89
rancune   115
rapidement   15, 29
rapport   11
rapporter   131
rare   85
rarement   31
rater   29
réalisateur   71

réaliser   111
réalité   105
récemment   83
récent(e)   79, 83
réception   135
réceptionniste   135
recette   91
recevoir   55, 69, 129
réciproque   37
réciproquement   139
récit   103
récompenser   141
reconnaître   91
réel(le)   31, 33
réfléchir   131
réflexion   57
réfrigérateur   77
regarder   125
régime   35
région   45, 75, 91, 95
règles   9
régression   133
regret   75
regretter   15
régulier(ère)   31
régulièrement   31, 33
rejoindre   35, 41
relation   105
relationnel(le)   105
remboursement   133
rembourser   133
remettre   37, 41, 133
rempli(e)   19
remplir   19, 25
rencontrer   105

rendez-vous   37
rendre   131, 137
renoncer   103
renonciation   103
renseigné(e)   39
renseignement   39
renseigner   39
rentrer   43
renvoi   131, 133
renvoyer   35
répandre (se répandre)   141
réparation   113
réparer   113
repas   15
repasser   11
répéter   99
répétition   107
répondre   75
repos   35, 47
reposer (se reposer)   47
réservé(e)   7
réserver   91
résilier   113
résolution   123
respect   105
respirer   67
ressentiment   115
restaurant   3, 139
rester   137
restituer   131
restitution   131, 133
résultat   125
retard   11, 37, 39, 53, 93, 97, 117
retarder   115
retenir   97

retirer   115
retour   97, 99, 133
retourner   43
rétrécir   141
retrouver   109
réunion   63, 135, 137
réussir   21, 91
revenir   35, 37
revue   133
rhume   141
richesse   99
ridicule   55
rien   9, 23
rigide   49
rigolo(te)   55
rigoureux(se)   19
risque   127
rivière   129
robe   75, 79
roman   31, 57, 87, 103, 105
Rome   5
roseau   141
route   45
rue   13, 41, 89
ruisseau   129
rythme   87

[S]

sac   41, 113
sain(e)   29
salade   33
salaire   79, 125
sale   7
salle   7, 77, 97
sans   25, 33, 77, 87, 97, 131

santé   33, 45, 91
satisfaction   123
satisfaire   45, 123
satisfaisant(e)   123, 125
satisfait(e)   45, 57, 111, 123, 125
sauce   69
saucisse   107
saucisson   107
sauf(ve)   29
sauter   94
sauver   93, 99
scène   71
science   25, 61, 129
sec (sèche)   7, 41, 49, 133
secours   53
secret   9
sécurité   67
selon   7, 9, 27
semaine   37
sens   41, 115
sensation   39
sensible   103
sensualité   105
sensuel(le)   103, 105
sentiment   141
sentimental(ale)   103
sentir   85, 131
sépulture   141
serrer   13, 107, 113
service   13, 25, 41, 69
servir   9, 13, 33
seul(e)   15, 83
sévère   19, 49
si   91, 113, 121
signaler   45

signifier   45
silence   35
silencieux(se)   119
singulier(ère)   81
situation   99
situer   69
ski   49
société   5
sœur   99
sofa   111
soigner (se soigner)   37
soigneusement   29
soin   29, 33, 37
soir   33, 41, 85
soirée   11, 59
solution   99
somme   37, 41
sommet   47
sonnant(e)   139
sonné(e)   139
sonner   31
sort   91, 141
sorte   71
sortie   11, 53, 85
souci   19, 25
soudain(e)   37, 41
souffrir   3
souhaiter   135
soulier   49
soumettre (se soumettre à)   75
source   69, 75
soutenir   3
souvent   11
spécial(ale)   127
spécialement   129

spécialiser   129
spécialiste   15, 127
spécialité   127, 129
sport   43, 103
sportif   103
stage   59
stationnement   85
stationner   85
studio   103
subtil(e)   141
succès   59
suffire   21
suffisant(e)   21
Suisse   127
suivant(e)   21
suivre   21
sujet   43, 49
supérieur(e)   57
supplément   61
supplémentaire   61
supplémenter   61
supportable   61, 85
supporter   85, 131, 141
sûr(e)   29
sûrement   11
surprendre   9, 55, 127
surpris(e)   55
surprise   127
s.v.p.   113
symétrie   107
sympathique   121

[T]

tabac   33
taille   123
tarif   111
tarte   121
taux   133
taxe   71, 113
taxi   19, 97
télé   59, 81, 83
téléphone   31
tempête   55
temps   133
tennis   55
tentation   65, 75
tenter   65
termes   75
terrain   87, 121
terrestre   137
terrible   3, 9
tête   27, 35
thé   47, 65
théâtre   137
timbre   69
timide   21, 63, 119
tirage   91
tirer   103
titre   43
toilettes   97
tomate   79
tombe   141
tombeau   141
tourner   141
tout(e)   15, 49, 67, 115
toutefois   5
tradition   117, 129
traditionnel(le)   117, 129
traditionnellement   129
traducteur(trice)   129

traduction   111, 129
traduire   93, 129
train   7, 11, 29, 79
trajet   41
tranquille   119
transmettre   5, 9
travail   39, 83
trentaine   117
trente   35
très   17, 33, 35, 63, 73, 89, 129
trop   19, 23, 35, 43, 49, 67, 81, 91, 93, 95, 99
tuer   131

[U]

unique   41
unité   87, 91
utile   59, 89
utilisable   123, 125
utilisateur(trice)   125
utilisation   113, 125
utiliser   103, 113, 125
utilité   123
UV   87

[V]

vacances   59, 99
valable   83
valeur   81, 87
vaste   121
vélo   111
vendre   77
venir   25, 45
vent   9, 59, 69
vente   77, 83, 111

vérifier   93
véritable   127
verre   19
vers   11
vert(e)   79, 115
vêtement   13
viande   85, 107
vide   19
vie   93
vieux (vieil, vieille)   89
vieillesse   93
vif(ve)   73, 75, 137
vigueur   135
ville   5, 21, 55, 67, 83, 91
vin   19, 33, 85
vingtaine   117
violent(e)   59
violer   113
vitalité   135
vitesse   115
vitrine   113
vivre   25, 71
voilà   9, 99
voir (se voir)   13, 99
voiture   5, 53
voleur   53, 107
volontaire   15
volonté   15, 17
vote   83
voter   83
vouloir   43, 131
voyage   3, 35, 67, 95, 137
vraiment   99
vue   107

[W]

W.-C. 97

著者紹介

早川文敏（はやかわ　ふみとし）
　現在、同志社大学および京都産業大学で教壇に立つ。共著に『近代市民社会におけるジェンダーと暴力』（日本独文学会）、共訳書に『ルソーの時―インタラクティヴィティの美学』（日本文教出版）などがある。

小幡谷友二（おばたや　ゆうじ）
　現在、ジュネーブ大学で教壇に立つ。訳書にムスタファ・シェリフ『イスラームと西洋』（駿河台出版社）、レオン・ポリアコフ『反ユダヤ主義の歴史・第四巻・第五巻』（筑摩書房）などがある。

久松健一（ひさまつ　けんいち）
　現在、明治大学で教壇に立つ。著書に『ぱざぱあるいは文学時空間の迷路』『ケータイ〈万能〉フランス語』『英語がわかればフランス語はできる』（以上、駿河台出版社）など。

《CD付》フランス語単語の力を本当につけられるのはコレだ！
［応用編］

© 早川文敏
　小幡谷友二　著
　久松健一

2009.2.20　初版発行
2012.7.5　4刷発行

発行者　井田洋二

〒101-0062　東京都千代田区神田駿河台3の7
発行所　電話 03(3291)1676　FAX 03(3291)1675　株式会社 駿河台出版社
　　　　振替 00190-3-56669

製版　フォレスト／印刷　三友印刷
ISBN978-4-411-00511-3 C1085　￥1900E

http://www.e-surugadai.com

《駿河台出版社の参考書》

◆ 姉妹編 ◆

《CD 付》
フランス語単語の力を本当につけられるのはコレだ！[基礎養成編]

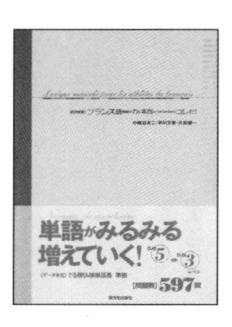

小幡谷友二／早川文敏／久松健一 著
「《データ本位》でる順仏検単語集」に準拠した単語練習帳．[基礎養成編] では5級から3級までのレベルの単語をピックアップ，それぞれに関連語彙などを与え，より単語を"立体的"に覚えることを目指した．前半の「5級→4級レベル」では関連語彙に，「4級→3級レベル」では書くことも意識．CDもついているので、ディクテ対策にもなる．
A5／192 p.／本体 1900 円
ISBN 978-4-411-00510-6

◆ 単語集・熟語集・動詞活用表 ◆

《データ本位》
でる順仏検単語集 ── 5級〜2級準備レベル ──

久松健一 編著
仏検単語集のベストセラー．各級ごとに分けれていて，5級では関連語彙ごとに記憶出来るように工夫．4級・3級ではでる順に配置してある．コンピュータによる解析を通して，著者がアレンジしたならび順はまさに"最強"で，幅広い読者に支持されている1冊である．
新書／295 p.／本体 1500 円
ISBN 978-4-411-00501-4

CD付 〈仏検2級対応〉でる順・仏検単語集

久松健一／パスカル・マンジュマタン 著
仏検2級に確実に出題される1500語を"でる順"で配列．「事前のチェック ⇨ でる順での効率的学習 ⇨ 類義語をサポート ⇨ でる順対応問題集」という画期的構成で合格をアシスト．
B6／218 p.／本体 1900円
ISBN 978-4-411-00471-0

〈仏検2級・3級対応〉フランス語重要表現・熟語集

久松健一 著／パスカル・マンジュマタン 校閲
過去に出題された問題を徹底分析して選定した重要表現・熟語の集大成．前置詞の微妙な使い分けも，細かな語法も詳細に解説している．苦手を得点源に変えられる理想の1冊！
B6／263 p.／本体 1800円
ISBN 978-4-411-00470-3

◆ ディクテ対策・表現力アップ ◆

CD活用 フランス語《拡聴力》

久松健一 著
優に1年分の留学体験に匹敵する「拡聴力」（聴こえてきた音を確実に書きとれる語学運用能力）を養成できる．仏検3級レベルから1級レベルへと短日月で拡張！
A5／120 p.／本体 1800円
ISBN 978-4-411-00478-9